길에서 만나는 **한글**

우리말글문화
총서 01

길에서 만나는
한글

김슬옹 지음

마리북

그 모든 길이 어우러져
위대한 한글길을 만들었다

한글의 역사와 흔적을 이리저리 보듬는 길은 멀고도 가까운 여정이었다. 날마다 숨 쉬듯이 한글을 보고 온몸으로 느끼지만, 그게 한글의 모든 것은 아니었다.

2023년은 세종대왕이 한글을 창제(1443)한 지 580주년이 되는 해이고, 반포(1446)한 지는 577주년이 되는 해이다. 500년이 훌쩍 넘는 세월만큼이나 한글의 흔적은 이 땅의 곳곳에 남아 있다.

한글이 걸어온 역사는 벅차고 옹골차지만 온갖 풍파를 겪은 길이었다. 그 길을 한글을 쓰는 이 땅의 백성으로서, 한글학자로서, 한글 운동가로서 45년간을 걷고 또 걸었다. 물론 영광스러운 길이 대부분이었지만 아픈 길도 많았다. 그 모든 길이 어우러져 위대한 한글길을 만들었다. 그렇게 걸어온 길을 한 권의 책에 모두 담을 수는 없었지만, 한글을 아끼는 이들과 함께 발밤발밤 걷고 싶은 길을 고스란히 담고자 했다.

첫째마당, '한글가온길, 한글세움길을 걷다'에서는 서울시에서 2013년에 가꾼 한글가온길의 발자취를 걸어 보았다. 한글이 창제되고 반포되어 현대 한글로 정착되기까지의 역사가 고스란히 배어 있는 길이다. 아직도 한글을 세종대왕과 집현전 학사들이 함께

○ㅅㅁ

만들었다고 잘못 알고 있는 사람들이 많다. 이 길을 직접 걸으면서 역사의 진실을 온몸으로 품었으면 한다.

둘째마당, '훈민정음의 발자취를 찾아서'에서는 세종대왕이 비밀리에 창제한 공간부터 훈민정음을 빛낸 사람들의 발자취를 보듬었다.

셋째마당, '오직 하나의 글, 한글 유적지'에서는 세종대왕을 품고 있는 여주시, 한글문화수도를 꿈꾸는 세종시, 한글의 발전 과정에서 특별한 공적을 남긴 이들과 관련된 곳을 짚어 보았다. 아직 온전히 가꿔지지는 않았지만 한글 유적지로 발돋움하려는 곳의 꿈틀거림도 살펴보았다.

넷째마당, '천 년의 문자, 한글 기념관과 한글마당'에서는 한글을 기념하고자 하는 기념관을 두루 살펴보았다. 천 년 문자 계획을 품은 국립한글박물관부터 최초 한글박물관인 우리한글박물관, 최초로 한글을 주류 나랏글로 삼아야 한다고 주장한 김만중 남해유배문학관까지 담아 보았다.

한글학회의 한글문화지도가 있었기에 한글 유적을 담은 이 책이 나올 수 있었다. 멀고도 먼 한글 여행길을 함께 걸어 준 차민아, 최준화, 송두혁, 육선희, 성명순, 문덕희, 유민호, 서현정, 정성현, 강순예, 강석희 여러 한글 동지들께도 감사드린다.

한글가온길에서
김슬옹

차례

셋째마당
오직 하나의 글, 한글 유적지

첫째마당

한글가온길,
한글세움길을 걷다

한글의 모든 것이 담겨 있는 길

_ 서울시 종로구 신문로1가 한글가온길

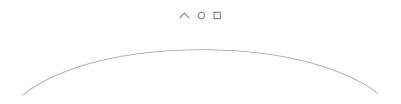

한글가온길! 그냥 예사로 걸을 수 있는 길이 아니다. 온몸으로 부대끼며 온 마음으로 걸어야 할 위대한 한글길이다. 모든 길이 나름의 뜻을 간직하고 있지만, 한글가온길은 우리가 500년 넘게 써 왔으며 여전히 쓰고 있고, 영원히 써 나가야 할 한글에 담긴 의미를 되새기면서 뚜벅뚜벅 걸어가야 할 길이다.

그 길에는 인류 문명을 바꿔 놓은 한글을 창제하고 반포한 세종의 이야기와 우리 한글을 지키고자 목숨을 바쳤던 사람들의 이야기가 스며 있다. 한글의 영광과 시련의 모든 역사가 생생하게 살

❷ 한글가온길은 우리가 늘 쓰는 한글의 모든 것이 담겨 있는 길이다. 그 시작이 한글가온길 새김돌이다.

아 있다. 한글가온길은 우리가 늘 쓰는 한글의 모든 것이 담겨 있는 특별한 길이다. 그 시작이 한글가온길 새김돌이다. 종로에서 광화문광장을 지나 서대문으로 이어지는 광화문 근처 새문안로 큰길에서 한글학회 쪽으로 접어드는 길모퉁이에는 '이야기를 잇는 한글가온길' 새김돌이 우뚝 서 있다.

한글 문화 관광의 정수리, 한글 마루지 사업

'가온길'의 '가온'이란 말을 낯설어하는 사람들이 많다. '가운데'의 옛말이라고 하면 대개 어떤 길인지 가늠을 하곤 한다. 한글가온길은 2013년에 서울시가 '한글 마루지 종합 계획'으로 조성했다.

ㅇ ㅅ ㅁ

'마루지'는 '랜드마크'라는 외국어 대신 쓴 순우리말로 '꼭대기'라는 뜻이니, '한글 마루지 사업'은 말 그대로 한글 문화 관광의 정수리 (꼭대기) 역할을 맡는 사업이란 뜻이다.

'한글가온길'은 한글이 우리의 삶과 역사에서 중심이 되어 온 길이라는 뜻이다. 그러니 한글이 탄생한 경복궁부터 한글을 창제한 세종 이야기, 한글을 지키고 가꿔 온 한글학회 등이 있는 광화문 언저리의 모든 길을 가리킨다.

한글가온길을 알리는 새김돌은 모두 네 개가 있다. 그중 세 개는 철판으로 가벼이 만들어 세웠고, 한글학회 옆 구세군 앞 사거리에 으뜸 새김돌을 크게 세웠다. 그런데 2016년에 지나가던 택시가 이 새김돌을 들이받아 반으로 갈라져 새로운 새김돌을 만들었다. 그때 필자가 처음 새김돌의 글귀를 일부 보완해 새 문구를 썼다.

세종대왕이 1443년에 창제하고 1446년에 반포한 한글 28자
백성을 가르치는 바른 소리 문자라 하여 훈민정음이라 불렀네
소리 과학과 우주 철학을 담아 창제한 한글
세상의 모든 소리를 가장 잘 표현할 수 있는 문자
독창성과 과학성을 두루 갖추니
한글 세계화로 세상에 널리 쓰이는 문자로 발전하리라.

_한글가온길 새김돌

이 글귀는 훈민정음 창제와 반포의 역사적 맥락을 분명히 하면서 그 가치를 간결하게 표현하고, 미래의 갈 길을 제시하고 있다. 이제 모든 교과서에서 1443년에 세종대왕이 단독으로 훈민정음을 창제했고, 1446년에 8인의 집현전 학자(정인지, 최항, 박팽년, 신숙주, 성삼문, 강희안, 이개, 이선로)들과 함께 펴낸 《훈민정음》 해례본을 통해 반포했다는 사실을 명확히 기록하고 있다. 그러나 아직도 많은 사람이 세종대왕이 집현전 학사들과 함께 훈민정음을 창제한 것으로 잘못 알고 있다. 《훈민정음》 해례본이나 실록을 제대로 배우지 않은 탓이다.

한글 창제의 가장 확실한 기록인 《훈민정음》 해례본에는 당연히 세종이 단독으로 훈민정음을 창제했다고 기록되어 있다. 해례본 저술을 도와준 8인의 대표 정인지도, 역사를 기록한 사관도 한결같이 그렇게 증언하고 있다. 그런데도 이를 부정하는 사람들의 의도는 무엇인지 궁금하다.

우리나라 말이 중국과 달라 한자와는 서로 통하지 아니하여서 이런 까닭으로 어리석은 백성이 말하고자 하는 바가 있어도 마침내 제 뜻을 펴지 못하는 사람이 많으니라. 내가 이것을 가엾게 생각하여 새로 스물여덟 글자를 만드니, 모든 사람들로 하여금 쉽게 익혀서 날마다 쓰는 데 편하게 하고자 할 따름이니라.

_《훈민정음》 해례본 세종 서문 현대말 옮김

1443년 겨울에 우리 전하께서 친히 정음 스물여덟 자를 창제하여, 간략하게 예와 뜻을 적은 것을 들어 보여 주시며 그 이름을 '훈민정음'이라 하셨다.

_《훈민정음》 해례본 정인지 서문

가장 중요한 사실은 공동 창제자로 지목한 《훈민정음》 해례본 저술에 참여한 8인이 개인적으로는 한글을 쓰지 않았다는 점이다. 18, 19세기 정약용과 같은 실학자들조차 한글을 공적 문자로 인정하지 않았고, 일상생활에서 사용하지 않았다. 이를 지금의 시각으로 비판하려는 것이 아니다. 그저 그 시대의 실상을 얘기하는 것뿐이다. 양반들에게 한자는 생명이고 신분 유지의 핵심 장치였으니 한글을 주류 문자로 인정할 수 없었을 것이다. 다만, 19세기까지 고수해 온 그들의 낡아빠진 사대주의와 유교사상이 지식과 실용을 내세운 제국주의 침략의 먹잇감이 되는 데 큰 원인을 제공했다는 사실이 안타까울 뿐이다.

그나마 철옹성 같던 한자의 벽을 뚫고 한글이 서서히 발전해 왔으니, 그 희망의 흔적을 한글가온길에서 찾아보고 미래로 이어지는 또 다른 한글가온길을 만들어 보면 좋을 것이다.

안 쓰이는 한글 네 글자

새김돌에는 세종대왕이 창제하고 반포했던 당시의 훈민정음 28자가 새겨져 있다. 그중 지금 안 쓰는 네 글자는 빨간색으로 표시되어 있다. 흔히 이를 '사라진 한글'이라고 하는데 '사라졌다'라는 말은 잘못된 표현이다. 사라진 적이 없다. 옛 책에 남아 있고, 하늘아(ㆍ, 아래아) 발음은 제주도에 남아 있으니 '지금 안 쓰는 한글'이라고 해야 한다.

먼저 하늘아는 음가와 글자를 구별해서 살펴야 한다. 글자는 1933년에 공식적으로 없어졌고(1932년에도 사적으로는 쓰임), 음가는 1446년 훈민정음 반포 후 이미 16세기부터 흔들렸다. 그 이유는 세종이 매우 섬세하게 음가를 설정했는데 서당이나 학당, 성균관 등에서 정식으로 가르치지 않으니, 음가 교육이 제대로 되지 않았기 때문이다. 그래서 어떤 음은 ㅡ로, 어떤 음은 ㅏ, ㅗ로 흡수되면서 해례본에서 정한 음가가 흐트러졌고, 그러다 보니 문자의 지위까

❷ 지금 안 쓰는 네 글자는 동그라미로 표시되어 있다.

ㅇ ㅅ ㅁ

지 위협받게 되었다.

어떤 이들은 하늘아를 일제나 조선어학회가 없앴다고 주장하는데, 그것은 역사적 맥락을 제대로 살피지 않은 주장이다. 음가가 명확하게 유지되지 않아 문자의 기능이 위협받다가 1933년에 공식 폐기된 것이다. 훈민정음의 가장 핵심이 되는 문자를 안 쓰게 된 것이 안타깝지만 역사적 현실은 그렇다.

안 쓰이는 자음 세 자 가운데 옛이응이라 불리는 'ㆁ'은 꼭지이응이라고도 부르는데, 여기서 꼭지는 세로로 짧게 가획된 것이다. 글자 모양은 지금은 안 쓰이는 글자이지만 발음으로는 지금도 쓰이는 글자이다.

옛이응은 해례본 명칭으로는 어금닛소리이고 지금 명칭은 연구개음이다. 받침으로 쓰일 때 발음은 지금 발음과 똑같다. 그런데 15세기에는 이 발음이 초성에서도 발음되었다. 물론 지금 표준 발음에서는 인정되지 않지만 여전히 전라도 방언에는 남아 있다. 베트남에서는 흔한 발음이다. 발음하는 요령은 '이'의 경우 '응'과 '이'를 따로 발음하다가 한 음절로 축약하면서 '응'의 받침 발음을 '이'의 발음에 붙이는 식으로 하면 된다.

지금은 꼭지가 안 쓰이지만, 꼭지(가획)를 붙여 만든 것은 세종대왕의 놀라운 과학적 통찰의 결과였다. 왜냐하면 연구개음 이응은 ㄱ과 같은 자리에서 나는 소리이지만, 안울림소리인 ㄱ(기)와는 달리 울림소리인 콧소리이기 때문이다. 그래서 어금닛소리 기본자인 ㄱ(기)에 가획을 하기보다 울림소리인 목구멍소리 기본자인

ㅇ에 가획을 하여 위치로서의 특성과 콧소리로서의 특성을 동시에 나타냈다. 제자 과정은 무척 합리적이지만, 첫소리 발음 유지가 어렵고 끝소리로 쓰일 경우 'ㅜ'에 붙으면 꼭지 글꼴 판별도 어렵다. 그래서 이미 16세기부터 안 쓰이게 된 것으로 보인다.

'여린 히읗'으로 불리는 'ㆆ'는 글꼴도 발음도 일찍부터 흔들린 글자이다. 해례본에서는 목구멍소리 '전청(예사소리)'으로 분류했지만, 발음은 'ㆆ'의 경우 토박이말에서는 '아'와 거의 구별이 안 된다. 한자어에는 목에 조금 더 긴장을 주어 발음하면 된다. '홇 배'와 같이 받침으로 쓰일 때는 목에 긴장을 주어 앞(ㄹ) 발음을 끊어 발음하는 기호로 쓰였다. 이렇게 음가 자체가 약해 불안하고 문자 기능도 불확실해 소리도 문자도 빨리 안 쓰이게 되었다.

삼각형처럼 생긴 반시옷(ㅿ)의 소리 명칭은 반잇소리이다. 잇소리 ㅅ보다 약한 영어의 /z/ 발음과 같은 울림소리이기 때문에 '반-'이라는 명칭이 붙었다. 따라서 ㅅ(시)를 발음할 때보다 윗니와 아랫니를 가깝게 접근하되 목청을 울려 발음하면 된다.

 ▶ 아래아 발음 듣기

 ▶ 반시옷 발음 듣기

 ▶ 여린 히읗 발음 듣기

 ▶ 옛이응 발음 듣기

약한 울림소리이다 보니 '무숨 < 마음'처럼 대부분 탈락되거나 '남신 < 남진(사내와 남편의 옛말)'처럼 더 강한 발음으로 바뀌었다. 임진왜란 이후에는 글꼴도 소리도 안 쓰이게 된 셈이다.

안 쓰는 네 글자를 되살려 쓰자는 이들이 의외로 많다. 안 쓰게 된 역사적 맥락이 분명하니, 일상생활에서 다시 살려 쓰기는 어려울 것이다. 그러나 외국어 공부용으로 정확한 발음 표기를 위해 다음과 같이 제한적으로 살려 쓰는 것은 충분히 가능하다. 필자가 자문한 EBS 역사채널e '세계에서 가장 완벽한 문자'편에서 보기로 든 예들이다.

❷ 정확한 발음 표기를 위해 안 쓰는 글자를 살린 예

Zebra 제브러 → 'ㅿ' 사용: ㅿㅔ브러

Cotton 코튼 → 'ㆆ' 사용: 코ㆆ흔

Drug 드러그 → 'ㆍ' 사용: 드ㆍ그

한글의 두 거인,
주시경과 헐버트

_ 서울시 종로구 새문안로3길 주시경마당

ㅅ ㅇ ㅁ

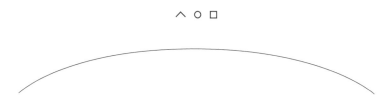

세종문화회관 뒤쪽의 당주동에 '주시경마당'이라는 아담한 공원이 있다. 이곳에 한글의 위대한 두 거인인 주시경과 헐버트의 동상이 앞뒤로 나란히 있다. 주시경마당에 헐버트상은 왜 있는 걸까?

주시경마당 근처에는 '용비어천가'라는 20층짜리 오피스텔이 있다. 이 건물의 이름은 최초의 한글 노래에서 따왔다. 이 건물은 주시경이 세상을 떠나기 전에 살던 집터에 세워진 건물이라 그 의미를 살려 이름을 지은 것이다.

우리말글을 위해 밤낮으로 애쓰며 지내는 모습에 감동한 경상

ㅇ ㅅ ㅁ

도의 한 독지가가 주시경의 나이 30대 중반일 때 집 한 채를 기증했는데, 그 집이 바로 이곳에 있었다. 주시경은 이 집에서 몇 년간 살다가 39세라는 젊은 나이에 세상을 떠났지만, 공원과 건물 이름을 통해 환생한 셈이다.

서울시와 종로구청은 선생을 기념하고자 2014년, 당주동에 '주시경마당'이라는 이름을 붙였다. 여기에는 주시경뿐 아니라 미국 선교사이자 독립운동가인 호머 베잘렐 헐버트Homer Bezaleel Hulbert의 상징 조형물도 세웠다. 주시경은 한 손에 강의용 책 보따리를 들고 있는 모습이고, 헐버트는 자신이 직접 펴낸 최초의 한글 전용 교과서 《사민필지》를 들고 있는 모습이다. 주시경보다 열세 살 많은 헐버트는 신학문을 배우던 주시경에게 한글의 중요성을 일깨워 주기도 했고, 《독립신문》 발간을 위해 함께 애쓴 동지이기도 해서 같은 곳에 세운 것이다.

❯ 주시경 집터에 세워진 용비어천가 건물 앞에는 주시경의 호 한흰샘(한흰샘)을 형상화한 분수대 조각이 있다.

현대 한국어의 기틀을 마련한
한글의 중시조

주시경은 세종 이후 처음으로 한글과 우리말을 종합적으로 연구하고 실천한 학자이자 한글 운동가이다. 일제의 강압으로 조선이 패망한 1910년 8월 29일 경술국치가 있기 한 달 전, 주시경이 쓴 글 가운데 "말이 오르면 나라도 오르고 말이 내리면 나라도 내리나니라"란 구절이 있다. 이 구절은 주시경 동상에 새겨져 있다. 내친김에 전문을 읽어 보자.

말은 사람과 사람의 뜻을 통하는 것이라. 한 말을 쓰는 사람끼리는 그 뜻을 통하여 살기를 서로 도와줌으로 그 사람들이 절로 한 덩이가 되고 그 덩이가 점점 늘어 큰 덩이를 이루나니 사람의 제일 큰 덩이는 나라라. 그러하므로 말은 나라를 이루는 것인데 말이 오르면 나라도 오르고 말이 내리면 나라도 내리나니라.

이러하므로 나라마다 그 말을 힘쓰지 아니할 수 없는 바니라. 글은 말을 담는 그릇이니 이지러짐이 없고 자리를 반듯하게 잡아 굳게 선 뒤에야 그 말을 잘 지키나니라. 글은 또한 말을 닦는 기계니 기계를 먼저 닦은 뒤에야 말이 잘 닦아지나니라. 그 말과 그 글은 그 나라에 요긴함을 이루 다 말할 수가 없으나 다스리지 아니하고 묵히면 덧거칠어지어 나라도 점점 내리어 가나니라. 말이 거칠면 그 말을 적는 글도 거칠어지고 글이 거칠면 그 글로 쓰는 말도 거칠어지나니라. 말과 글이 거칠면 그 나라 사람의 뜻과 일이 다 거칠어지고 말과 글이 다스리어지면 그 나라 사람의 뜻과 일도 다스리어지나니라.

이러하므로 나라를 나아가게 하고자 하면 나라 사람을 열어야 되고 나라 사람을 열고자 하면 먼저 그 말과 글을 다스린 뒤에야 되나니라. 또 그 나라 말과 그 나라 글은 그 나라 곧 그 사람들이 무리진 덩이가 천연으로 이 땅덩이 위에 홀로 서는 나라가 됨의 특별한 빛이라. 이 빛을 밝히면 그 나라의 홀로 서는 일도 밝아지고 이 빛을 어둡게 하면 그 나라의 홀로 서는 일도 어두워 가나니라.

우리나라에 뜻있는 이들이여 우리나라 말과 글을 다스리어 주시기를 바라고 어리석은 말을 이 아래 적어 큰 바다에 한 방울이나 보탬이 될까 하나이다. 말도 풀어 보려면 먼저 소리를 알아야 하는지라. 이러하므로 이 아래에 소리의 어떠함을 먼저 말하노라.

_주시경, 〈한나라말〉 현대말 옮김

이렇듯 말과 나라를 하나로 보았던 주시경은 불철주야 연구하고 노력한 끝에 현대 한국어의 기틀을 마련했다. 한글을 새로이 일으켰다는 의미에서 주시경을 '한글의 중시조'라고 부르기도 한다.

주시경은 황해도 봉산 출생으로 아버지 주면석과 어머니 전주 이씨 사이에서 1876년에 둘째 아들로 태어났다. 그가 12세 되던 해에 장남이 아니었던 그의 운명이 바뀌었다. 자식들을 모두 전염병으로 잃은 둘째 큰아버지 주면진의 양자로 입양되었기 때문이다. 양아버지를 따라 서울로 이사해 한문학을 배우게 된 어린 주시경은 의문을 품게 되었다. '말할 때는 하늘이라면서 쓸 때는 왜 한글이 아닌 한자로 天이라고 쓸까?'

주시경은 서양에서 들어온 새로운 학문에도 관심을 갖기 시작했고, 19세가 되던 1894년에 서양 선교사가 세운 배재학당에 입학해 본격적으로 공부하기 시작했다. 호기심이 많은 주시경은 인천의 관립 이운학교(운송 관련 학교)에 들어가 속성과를 졸업하기도 했지만, 갑오개혁(1895)이라는 정치·사회적 격변 탓에 해운계로 나가지 못하고 이듬해 다시 배재학당 보통과에 들어갔다.

때마침 1896년에 서재필이 한글 신문인《독립신문》을 창간했

❯ 주시경은 불철주야 연구하고 노력한 끝에
현대 한국어 연구의 기틀을 마련했다.

는데, 주시경은 신문사의 회계사 겸 교보원(교정 보는 사람)으로 일하게 되었다. 다시 말해 활자공 일도 맡고, 기자 일도 하고, 전문적인 칼럼도 싣는 그야말로 《독립신문》 발간의 보배 역할을 한 것이다.

또한 주시경은 한글 신문 제작을 위해 우리말 표기법과 이론 공부의 필요성을 느끼고, 동료 직원들과 '국문동식회國文同式會'를 만들어 한글 표기법 연구에 몰입했다. 하늘을 왜 '하늘'이라 적지 않는지 궁금해하던 어린 주시경의 질문이 《독립신문》을 만나게 하고, 우리 말글 연구자와 교육자로 거듭나게 했다.

주보따리, 한글을 가르칠 수 있다면 어디든 가다!

주시경은 서재필이 주도하던 배재학당 협성회, 독립협회에 참여했다가 서재필이 추방당하자 신문사를 나오게 되었다. 이후 《제국신문》 기자와 선교사 윌리엄 스크랜턴W. B. Scranton의 한국어 교사, 전덕기 목사가 이끄는 상동교회의 강사를 병행하면서 배움을 놓지 않았다. 이윽고 배재학당에 들어간 지 6년째 되는 1900년에 보통과를 졸업했다. 하지만 새로운 학문에 대한 주시경의 지식욕은 식을 줄 몰랐기에 흥화학교 야간반에서 양지과, 사립교육기관인 정리사에서 수물학을 3년간 또 공부했다. 요즘 말로 양지과는 지리학, 수물학은 수학과 물리학을 뜻한다.

주시경은 35세가 되어서야 비로소 이런저런 공부를 마칠 수 있었다. 그러나 그때는 1910년 불행하게도 나라가 일제에 패망한 해였다. 하지만 그는 절망에 빠지지 않고 민족정신을 바로 세우기 위한 국어 운동, 국어 연구와 교육을 통한 계몽 운동을 더욱 활발히 전개했다. 눈코 뜰 새 없이 바쁜 그를 두고 사람들은 '주보따리'라고 불렀다. 가방이 없던 시절, 보자기에 책을 싸서 우리말 한글을 가르칠 수 있는 곳이라면 어디든 마다하지 않고 찾아갔기 때문이다.

교육 운동으로 바쁘고 힘든 가운데도 주시경은 우리말과 한글을 연구해 《국문문법》(1905), 《대한국어문법》(1906), 《국어문전음학》(1908), 《말》(1908?), 《국문연구》(1909), 《국어문법》(1910), 《말의 소리》(1914) 등 많은 책을 펴냈다. 주시경 이전에는 우리말글을 연구해 한글로 글을 쓴 사람이 없었다. 조선의 실학자 최성적, 신경준, 유희 등도 매우 활발하게 한글을 연구했지만 모두 한자로 책을 썼다.

온몸을 바쳐 우리말글을 통해 말글얼 정신을 북돋우던 주시경을 일제 경찰은 요주의 인물로 여기고 감시하기 시작했다. 주시경은 국내에서 독립운동을 하기에는 한계가 있음을 절실히 깨달았다. 그리하여 비밀리에 만주로 망명을 꾀했으나 망명 준비 중에 걸린 급체로 운명하고 말았다.

비록 39세라는 젊은 나이로 요절했지만, 주시경의 뜻은 끊기지 않았다. 주시경이 심혈을 기울였던 조선어강습원에서 김두봉과 최현배라는 두 걸출한 제자가 나왔기 때문이다. 김두봉은 나중에 북한의 한글 전용과 우리말 문법의 토대를 마련했다. 최현배는 남한의 한글 전용과 우리말 문법 체계화를 주도했다. 두 수제자는 주시경의 뜻을 제대로 이어 나갔다.

《뉴욕 트리뷴》에 실린 소논문 수준의
'The Korean'

한글의 가치를 주시경보다 먼저 알아보고, 연구하고 실천한 외국인이 있었으니 헐버트였다. 헐버트는 1886년, 만 23세에 고종의 초청으로 정부가 세운 최초의 교육기관인 육영공원 교사로 일하게 되었다. 그는 조선이라는 작은 나라에 알파벳보다 뛰어난 문자가 있다는 사실에 놀랐고, 그런 문자를 조선의 지배층이 무시하는 것에 충격을 받았다.

한국어를 열심히 배운 그는 한국에 온 지 3년 만인 1889년 《뉴욕 트리뷴》(오늘날 《뉴욕타임스》의 전신)에 소논문 수준의 'The Korean'이라는 긴 칼럼을 기고했다. 한글뿐만 아니라 한국어의 주요 특징과 과학성, 우수성을 전 세계에 최초로 알린 글이었다. 한글에 대한 핵심 내용만 추려 보면 다음과 같다(번역문은 헐버트기념사업회 이사장 김동진이 옮김).

조선에는 모든 소리를 자신들이 창제한 고유 글자로 표기할 수 있는 진정한 문자가 존재한다.

Korea has a true alphabet, each articulate sound being expressed by means of its own letter.

······한글은 완벽한 문자가 갖춰야 하는 충분한 조건을 갖추고 있다.

······the Korean is, to say the least, fully equal to that language in the qualities which go to make up a perfect alphabet.

표음문자 체계의 모든 장점이 여기 한글에 녹아 있다.

Every advantage of the phonetic system is here conserved.

글자 구조상 한글에 필적할 만한 단순성을 가진 문자는 세상 어디에도 없다.

The Korean alphabet has not its equal for simplicity in the construction of its letters.

훌륭한 문자는 간단해야 하고 소리의 미묘한 차이를 정확하게 혼란 없이 표현할 수 있어야 한다.

A good alphabet must be simple and at the same time, must be

ㅇ ㅅ ㅁ

able to express different shades of sound with accuracy and without confusion.

헐버트는 비교 문자학적 상대평가와 문자 과학적 절대평가로 한글을 평가하고 있다. 비교 문자학을 위해 일본 문자, 중국 한자, 로마자 알파벳, 산스크리트 문자와 비교하고 있다.

당시만 하더라도 조선 안에서 훈민정음의 산스크리트 문자 기원설 또는 모방설이 성현(1439 ~ 1504)의 《용재총화》(1504), 이수광(1563~1628)의 《지봉유설》(1614) 등의 주장을 근거로 내려오고 있었다. 이를 의식해서인지는 모르지만, 헐버트는 다음과 같이 말하며 '완벽한 문자'라는 표현으로 산스크리트 문자 모방설에 반박하고 있다.

조선 문자인 한글을 산스크리트 문자와 비교하기도 하지만, 세밀히 연구해 보면 한글은 완벽한 문자가 갖춰야 하는 조건을 충분히 갖추고 있다.

The Korean alphabet has been compared with the Sanskrit, but it will appear, upon examination, that the Korean is, to say the least, fully equal to that language in the qualities which go to make up a perfect alphabet.

국제 사회에서 최초로
한글 자모를 소개한 한글 중흥의 선구자

헐버트는 한글이 간결하면서 효율적인 문자라는 점을 높이 샀
다. 그는 또한 한글이 다른 문자와는 비교할 수 없을 정도로 창의적
인 문자라는 점을 강조했다.

글자 구조상 한글에 필적할 만한 단순성을 가진 문자는 세상
어디에도 없다. 모음은 하나만 빼고 모두 짧은 가로선과 세로선 또
는 둘의 결합으로 만들어진다. 'ㅏ'는 'a'의 긴 발음, 'ㅗ'는 'o'의 긴 발
음, 'ㅣ'는 'i'의 대륙식 발음, 'ㅜ'는 'u' 발음과 같다. 이렇게 글자를 모
두 쉽게 구별할 수 있기에 읽기 어려운 글자 때문에 발생하는 끝없
는 골칫거리가 한글에는 없다.

The Korean alphabet has not its equal for simplicity in the con-
struction of its letters. The vowels are with one exception, made either
by a short horizontal line, or a perpendicular one, or a union of the
two. Thus ㅏ represents the broad sound of a, ㅗ the broad sound of
o, ㅣ the continental sound of i, ㅜ the sound of u. These can all be
instantaneously distinguished and all the endless difficulty in regard to
illegible writing avoided.

○ ∧ □

그는 모음자가 아래아(·)만 빼고 수평선과 수직선만으로 이루어진 한글의 효율성에 대해서도 언급했다. 모양이 단순하여 글자를 쉽게 구별할 수 있다는 것이다. 김동진은 한글 모음자(ㅏ, ㅗ, ㅣ, ㅜ)를 직접 보여 준 부분은 '국제 사회에서 최초로 한글 자모를 소개한 것(김동진, 《헐버트의 꿈 조선은 피어나리!》(참좋은친구, 2019))'이라며 높이 평가했다.

자음도 거의 비슷하게 단순하다. 'm(ㅁ)'은 작은 정사각형, 'k(ㄱ)'는 정사각형의 오른편 위쪽에서 각을 이루고, 'n(ㄴ)'은 왼편 아래쪽에서 각을 이룬다.

The consonants are almost as simple. m is shaped like a small square, k like the upper right hand angle of a square, n like the lower left hand angle.

위의 자음자 설명에서도 한글이 기하학적으로 단순하다는 사실을 밝히고 있다. 다만 이때는 《훈민정음》 해례본이 발견되기(1940) 전이어서 헐버트는 해례본에만 나오는 발음기관 상형설을 몰랐을 것이다. 그래서 'ㄱ', 'ㄴ'이 'ㅁ'을 대칭으로 나뉘어 만들어졌다는 도형 구조로 설명하고 있다. 자음자와 모음자 도형의 간결함, 자음자와 모음자의 도형 차이에 따른 구별의 효율성, 거기다 자음자와 모음자를 결합했을 때 생성 결과의 놀라움을 분명하게 표현하고 있다. "이 글자들을 결합하여 단어를 만들면 훨씬 더 흥미로운 사실이 나타난다"가 그것이다.

　문자는 발음 표기를 위해 존재하므로 '일자일음주의'는 인류 문자의 꿈이다. 그런데 그 꿈이 조선에서는 15세기에 이미 이루어졌던 것이다. 이에 대해 헐버트는 다음과 같이 평가하고 있다.

　조선어 철자법은 철저히 발음 중심이다. 영국이나 미국에서 그토록 오랫동안 갈망하고 식자들이 심혈을 기울였으나 그다지 성공을 거두지 못한 과제가 이곳 조선에서는 수백 년 동안 현실로 존재했다. 즉, 글자 하나당 발음이 딱 하나씩이다.

❯ 헐버트 박사 71주기 추모 특집 자료집에 미국 《뉴욕 트리뷴》 1889년 당시 글이 실렸다.

★ (사)헐버트기념사업회 소장

In Korean the spelling is entirely phonetic. What so long has been desired in our own land, and what has received the earnest attention of learned men without success, has been in use here for centuries. Each letter has one unvarying sound.

투고 매체가 미국 신문이어서인지 한글을 단순히 평가하는 데 그치지 않고 영어 알파벳의 비효율성과 꼼꼼하게 비교했다.

한글에 대한 객관적 평가와 가치론적 평가, 그리고 한글 사용 실천까지 융합적으로 본다면 한글을 널리 보급한 사람은 세종 이후 헐버트(1889)가 처음이다. 그런 측면에서 헐버트는 한글의 가치를 온전히 이어 가고 생활 속에서 실천한 주시경과 더불어 '한글 중흥의 선구자'라 할 만하다.

한글 전용 교과서 《사민필지》

헐버트는 그로부터 2년 뒤인 1891년(만 28세)에 최초의 한글 전용 교과서 《사민필지》를 펴냈다. 2014년 주시경 동상과 함께 세운 동상에는 그가 펴낸 최초의 한글 전용 교과서 《사민필지》와 그가 남긴 "한글과 견줄 문자는 세상 어디에도 없다"라는 글귀가 한류 한글 시대를 맞이하여 더욱 빛나고 있다.

1891년 12월 육영공원 교사 계약이 끝나고 미국으로 돌아간 헐버트는 1893년 10월 1일 감리교 선교사로 다시 내한해 삼문출판사Trilingual Press를 세웠다. 1895년 을미사변 직후에는 언더우드 Horace G. Underwood, 에비슨Oliver R. Avison 등과 함께 고종의 침전에서 불침번을 섰고, 1896년에는 《독립신문》이 창간되자 서재필, 주시경 등에게 많은 도움을 주었다.

그는 평생 동안 대한의 독립운동을 위해 헌신했다. 특히 1907년 고종이 네덜란드 헤이그에서 열린 제2회 만국평화회의에 특사 이준, 이상설, 이위종을 비밀리에 파견할 때 앞장서 돕기도 했다. 1949년(만 86세)에 이승만 대통령 초청으로 한국 땅을 밟았다가 도착 후 일주일, 광복절 열흘 전에 서거하여 한국 땅에서 잠들었다.

❯ 2014년 주시경 동상과 함께 세운 동상에는 그가 펴낸 최초의 한글 전용 교과서 《사민필지》와 그가 남긴 "한글과 견줄 문자는 세상 어디에도 없다"라는 글귀가 한류 한글 시대를 맞이하여 더욱 빛나고 있다.

○ ∧ □

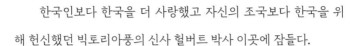

한국인보다 한국을 더 사랑했고 자신의 조국보다 한국을 위해 헌신했던 빅토리아풍의 신사 헐버트 박사 이곳에 잠들다.

_헐버트 묘비 새김글, 1999년 8월 5일 50주기에 헐버트기념사업회 제공

한글과 견줄 문자는 세상 어디에도 없다.

_헐버트 기념 동상 새김글

❯ 헐버트 묘소에서 필자가 쓴 헐
버트 중시조 추모 논문과 문관
효 한글 서예가의 추모 붓글씨
헌정식을 가졌다.

겨레의 말과 글을 지킨
가장 오래된 학회

_ 서울시 종로구 새문안로3길 한글학회

ㅅ ㅇ ㅁ

주시경마당에서 한글가온길 새김돌 쪽으로 50미터 정도 가다 보면 한글학회 건물이 우뚝 서 있다. 1977년에 완공된 5층짜리 건물이다. 필자와 한글학회의 운명적인 만남은 어언 45년이 되었다. 필자가 철도고등학교 1학년이던 1977년에 한글학회 부설 전국국어운동고등학생연합(1975년 창립)에 가입했다. 이 건물 정문 옆에는 한글학회의 뿌리인 국어연구학회를 세운 주시경 흉상이 있고, 안으로 들어가면 이 건물을 세우는 데 결정적인 역할을 한 애산 이인 (1896~1979)의 기록물이 있다.

ㅇ ㅅ ㅁ

새 건물이 지어지기 전에는 일본인들이 살던 적산가옥(적군이 세운 집)을 광복 후 사무실로 사용했다. 그러나 조선어학회 33인 가운데 한 명인 이인이 많은 재산을 기증하고 국민 모금과 정부 후원으로 1977년에 지금의 한글학회 건물을 세웠다. 건물 앞에 세워진 주시경의 흉상과 얼말글 새김돌이 학회의 뿌리와 정신을 잘 보여 주고 있다.

이인은 1923년 2월에 일본 변호사 자격시험인 고등문과 시험에 28세의 나이로 합격하고, 서울에서 변호사업을 개업한 뒤 독립운동가들을 변론하는 데 앞장섰다. 그는 조선어연구회의 조선어사전편찬회 발기위원이 되어 사전 편찬 사업을 적극 지원했는데, 조선어학회 회원이 된 경위가 재미있다.

나는 한글학자가 아니나 일찍부터 조선어학회 회원이었고 이일로 옥고를 치렀다. 내 자신이 이상하게 느낄 때가 있으면서도 이는 결코 우연이 아니라고 생각한다. ……(중략)…… 조선에서도 일제가 우리말과 글을 없애려고 들기는 마찬가지라, 뜻있는 학자들이 우리 말과 글을 연구하고 이를 지키려고 애를 쓰는 가운데 1921년에는 조선어학회가 창립을 보았다. 나는 우리말과 글을 지켜야 한다는 역사적인 현실을 인식하고 있는 터라 우리말의 법리와 철자법에 상당한 관심이 있었다. 그래서 조선어학회에서 맞춤법의 옳고 그름을 설문하는 경우에는 빠짐없이 성의껏 응답을 하고 아울러 내 의견을 말하였더니 어느 틈엔가 조선어학회의 회원이 됐는 데 이것이 1926년께이다.

_이인(1974), 《반세기의 증언》, 명지대학출판부

이인과 한글학회의 인연은 참으로 고귀하지 않을 수 없다. 일제강점기 때부터 지녀 온 우리말글에 대한 애정으로 광복 후에 현대식 한글학회 건물을 올리며 100년이 넘는 한글학회 역사의 거대한 기둥이 되었으니. 애산학회가 설립되고 《애산학보》라는 학술지가 간행되고 있어 선생의 헌신과 혼은 면면이 이어지고 있는 셈이다.

❷ 한글학회 건물 앞에 세워진 얼말글 새김돌(왼쪽)과 주시경의 흉상(오른쪽)이 학회의 뿌리와 정신을 잘 보여 주고 있다.

○ ∧ □

❯ 2008년 한글학회 100주년 기념 당시 한글학회 건물 앞(왼쪽)과 1958~1976년 당시 한글학회 건물(오른쪽)이다. 100년이 넘는 한글학회의 역사가 느껴진다.

★ 한글학회 소장

'오직 하나의 큰 글',
'한나라 글'이라는 뜻의 한글

한글학회의 뿌리는 주시경이 조선어강습원을 연 상동교회였다. 남대문시장 자리에 지금도 상동교회가 있다. 7층에는 상동교회의 역사를 크게 꾸며 놓았는데, 주시경이나 조선어강습원 관련 기록은 단 한 군데도 없다. 상동교회 역사에서 주시경의 조선어강습원의 비중을 가벼이 본 탓이다. 다행히 6층 복도에 조선어강습원 졸업생들 명부인 '한글말모이' 영인본을 전시해 놓았다.

전덕기 목사가 운영하던 상동교회에 주시경이 조선어강습원을 연 것은 1907년이었다. 이 무렵의 상동교회 사진이 남아 있어 역사의 흔적이 더 뚜렷하게 다가온다. 1907년은 을사조약으로 외교권이 박탈당하고, 기울어 가는 국운을 안타깝게 여긴 지사들이

❶ 조선어강습원이 있던 시절(추정)의 상동교회 모습이다.

★ 출처:《100년 전 선교사, 서울을 기록하다》 (서울역사박물관, 2021)

❷ 현재(2022)의 상동교회 전경이다.

○ ∧ □

온갖 노력을 기울이던 때였다. 시시각각 패망의 그림자가 짙어졌지만, 주시경은 이럴 때일수록 제대로 우리글을 배우고 지식을 쌓아야 한다고 마음을 다잡았다. 그에게 국어 운동과 국어 교육, 독립 운동은 떼려야 뗄 수 없는 것이었다. 그는 서울 시내 여러 학교를 누비며 한글과 우리말을 가르치고, 독립 정신을 고취시키며 인재를 양성하는 데 안간힘을 쏟았다. 상동교회에 국어강습소를 연 것도 그러한 노력의 하나였다.

그러나 1910년에 일제에 나라의 주권을 빼앗기자 '국어'라는 명칭을 쓸 수 없게 되었다. 일본어가 국어가 되어 버렸기 때문이다. 우리 고유의 문자 명칭을 '조선글'로 부르기도, 그렇다고 예전처럼 '언문'으로 부르기도 곤란했다. 그래서 생긴 명칭이 '한글'이었다.

'오직 하나의 큰 글', '한나라 글'이라는 의미가 담긴 '한글'이라는 새로운 이름이 본격적으로 쓰인 것은 1913년 이후였다. 이 명칭

❯ 한글배곧(조선어강습원) 졸업장으로 '崔鉉龔(최현이)'는 최현배의 옛 이름이다.

을 누가, 언제 만들었는지 아직은 정설이 없다. 《독립신문》에 이은 한글 전용 신문인 《제국신문》을 만든 이종일이 처음 사용했다는 설, 최남선이 광문회에서 만들어 썼다는 설, 주시경이 만들었다는 설 등이 맞서고 있다. 그러나 주시경과 그 제자들이 이 용어를 적극적으로 썼고, 대중화했다는 점에서 주시경설이 가장 큰 설득력을 얻고 있다.

훈민정음은 1894년 갑오개혁 이후 '국서國書', '국문國文' 또는 '조선글'로 불리기도 했지만 주로 '언문'으로 불렸다. 언문은 원래 보통 명칭이었지만, 사람들이 '훈민정음'을 얕잡아 '언문'이라고 쓰다 보니 낮춤말이 되어 버렸다. 그래서 주시경은 언문 대신 '한글'이라는 새 이름을 널리 퍼뜨리는 데 힘을 쏟았다. 1911년에 국어연구학회를 '배달말글몯음(조선언문회朝鮮言文會)'이라고 했는데, 1913년 3월 23일 조선언문회 총회에서는 배달말글몯음을 '한글모'라고 바꾸었다.

한글학회의 시초, 국어연구학회

나라를 잃기 2년 전인 1908년 8월 뜨거운 여름, 조선어강습원 1·2기 졸업생들과 주시경 선생의 만남은 한글의 역사에서 또 한 장을 장식한다. '말과 글은 홀로 서는 나라 됨의 특별한 빛'이므로 '말글이 올라야 나라가 오른다.' 평소에 이것을 늘 주장하던 주시경과 그의 제자들은 연세대학교 뒤쪽 안산 기슭에 있는 봉원사라는 절에서 만나 국어연구학회를 창립했고, 이것이 한글학회의 시초가 되었다. 초대 회장은 주시경이 아니라 제자인 김정진이 맡았지만, 주시경의 노력이 있었기에 오늘의 한글학회가 있다는 사실은 누구도 부정할 수 없을 것이다.

봉원사에 있는 새김돌에는 이를 기념하는 글귀가 아래와 같이 적혀 있다.

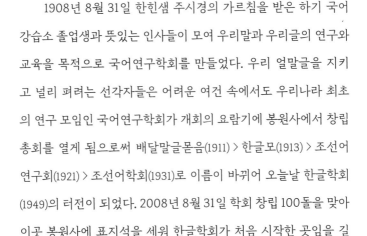

1908년 8월 31일 한힌샘 주시경의 가르침을 받은 하기 국어강습소 졸업생과 뜻있는 인사들이 모여 우리말과 우리글의 연구와 교육을 목적으로 국어연구학회를 만들었다. 우리 얼말글을 지키고 널리 펴려는 선각자들은 어려운 여건 속에서도 우리나라 최초의 연구 모임인 국어연구학회가 개회의 요람기에 봉원사에서 창립총회를 열게 됨으로써 배달말글몯음(1911) > 한글모(1913) > 조선어연구회(1921) > 조선어학회(1931)로 이름이 바뀌어 오늘날 한글학회(1949)의 터전이 되었다. 2008년 8월 31일 학회 창립 100돌을 맞아 이곳 봉원사에 표지석을 세워 한글학회가 처음 시작한 곳임을 길이 남기고자 한다.

_한글학회 창립 100돌 기념사업회, 2008년 8월 31일

졸업식 겸 창립총회를 왜 여기서 했는지에 대해서는 아무 기록이 없다. 조선어강습원이 있던 상동교회는 조선어강습원만 있는 곳

이 아니었으므로 상동교회에서 가까우면서 조용한 이곳을 이용했을 것이다. 봉원사는 실제로 독립지사들이 만나는 곳이기도 했다.

놀랍게도 학회 연혁집인 〈한글모죽보기〉(윤재영 소장본)와 강습원 연혁집인 〈한글배곧죽보기〉가 남아 있어 그때의 생생한 역사를 볼 수 있다. 이 기록물을 남긴 이는 이규영(1890~1920)이다. 〈한글모죽보기〉는 '조선언문회일람목록朝鮮言文會一覽目錄'이라는 제목으로 보아 '조선언문회'의 1907년부터 1917년까지의 활동 기록이다.

주시경이 운명하기 1년 전인 1913년에는 임시총회가 열렸다. 1912년에 초대 회장이었던 김정진이 중국 상하이로 떠났기 때문이다. 이 총회에서 학회 이름을 '한글모'로 바꾸고 주시경을 회장으로 선출했다. 이규영은 김두봉, 윤창식, 신명균 등과 함께 주요 임

● 1908년 한글학회 첫 창립총회가 열렸던 봉원사 안의 새김돌이다. 국어연구학회는 한글학회의 시초가 되었다.

○ ∧ □

❯ 〈한글배곧죽보기〉
  (조선어강습원 연
  혁)와 〈한글모죽보
  기〉(국어연구학회
  연혁)가 남아 있어
  그때의 생생한 역사
  를 볼 수 있다.

원이 되었다. 《한글적새》(1916~1919)라는 우리말글 문법 책을 저술
하기도 했다.

　1914년 4월에는 조선어강습원 역시 '한글배곧'이라고 바꾸어
불렀다. 기록으로 보면 '한글'이라는 명칭이 본격적으로 쓰인 시기
는 1913년이었던 셈이다. 최남선도 1913년에 아동 잡지 《아이들보
이》에 '한글풀이' 란을 만들었다.

　　　　　　　　　　　　　　'말모이', 사전은 조선말을
　　　　　　　　　　　　　　다 모아 담는 창고

　한글학회 5층 도서관에는 조선어학회의 '큰사전' 초판 원고가
보관되어 있다. 영화 〈말모이〉에 나오는 바로 그 원고이다. 3분의 2
는 독립기념관에서 보관하고 있고, 나머지는 한글학회가 보관하고

● 큰사전 초판 원고를 보
면 우리말글을 지키기
위해 온몸을 던졌던 선
열들의 고귀한 발자취
가 느껴진다.

★ 한글학회 소장

있다. 정성 들여 교정 본 흔적을 보노라면 말과 글을 지키기 위해
온몸을 던졌던 선열들의 고귀한 발자취가 느껴진다. 물론 이 원고
가 주시경이 처음 편찬했던 '말모이(사전)'는 아니다. 이때의 원고는
국립한글박물관이 소장하고 있다.

주시경이 김두봉, 권덕규, 이규영 등 제자들과 함께 말모이 편
찬 사업을 시작한 것은 1911년이었다. 1910년에 조선광문회가 설
립되고, 여기서 주시경은 1911년부터 말모이를 편찬하기 시작했다.
외국인 선교사들의 대역어 사전이 널리 퍼지고, 1907년 국문연구소
가 설립되자 사전 편찬의 필요성이 제기돼 왔다. 더욱이 1911년은
조선총독부가 조선어사전 편찬을 시작했던 시점이라, 주시경과 그
제자들은 이에 대응하여 말모이 편찬을 서둘렀던 것이다.

그러나 말모이 편찬 작업은 1914년 주시경이 세상을 떠나면
서 제대로 이어지지 못하고, 수제자인 김두봉이 3·1운동 후 중국으

○ ∧ □

로 망명하면서 맥이 끊겼다. 3·1운동 이후 원고 카드 대부분을 분실하고 일부는 1918년에 최남선, 오세창, 박승빈, 이능화, 문일평 등 33인이 조직한 계명구락부로 넘어갔다.

1927년 계명구락부에서 최남선, 정인보, 이윤재, 임규 등이 말모이 원고를 인수하여 다시 편찬에 착수했으나 1934년 무렵에 중단되었다. 그런데 이 원고가 기적처럼 1969년 경기도 광주군 중부면에서 이병근 교수에게 발견됐다. 'ㄱ-갈죽'까지의 153쪽 분량 원고였다.

조선어연구회에서는 독일 유학을 마치고 돌아온 이극로를 중심으로 1929년에 조선어사전 편찬회를 조직하고, 본격적인 사전 편

❷ 주시경 등이 편찬하다 중단한 말모이 원고 첫째 권 복간본에서 풀어쓰기로 쓰인 제목(위)과 말모이 첫째 권 첫째 쪽(아래)이다.

★ 국립한글박물관 소장

찬 작업에 들어갔다. 그전부터 주시경의 제자들은 말과 글을 잃은 민족은 독립이 불가능하다고 생각해 왔다. 실제로 말과 글을 잃은 만주 사람들은 독립조차 꿈꾸지 못하게 되었다. 그래서 그들은 주시경이 세상을 떠나기 전에 추진했던 말모이(사전) 편찬의 뜻을 이으려고 고심하던 중, 이극로의 적극적인 발의로 시작하게 되었다.

조선어연구회의
우리글 큰사전 편찬 사업

　　조선어연구회는 이 일을 본격적으로 추진하던 1931년에 '조선어학회'라는 더 큰 이름으로 바꾸었다. 우리글 큰사전 편찬 사업이 그만큼 중요한 일이라는 사실을 방증한 것이다. 사전은 말의 창고와 같기에 조선말이 사라지기 전에 창고에 다 담아 놓아야, 언젠가 독립을 한 후에도 후손들이 말을 잃어버리지 않으리라 여겼기 때문이다. 그 과정에서 사전에 싣기 위한 올바른 표기법의 중요성을 인식하고 1933년에 맞춤법을 만들었으며, 1936년에는 표준말 사전도 내놓았다.

　　조선어학회는 '건축왕'이라 불렸던 정세권이라는 건축가의 결정적인 도움 덕분에 이렇게 어려운 가운데도 사전 편찬을 이어 갈 수 있었다. 정세권은 이극로와 친분이 두터웠다. 그는 1934년 조선물산장려회에서 상무이사로 활동하면서 이극로와 친분을 맺기 시

◐ 조선어학회 터 바닥 새김돌이다. 1935년 무렵 조선어학회 사무실이 있던 곳으로, 서울 지하철 안국역에서 100미터 거리에 있다.

작했다. 이극로에게 조선어학회 회관이 없다는 말을 듣고는 땅을 매입해 1935년 2층 양옥 건물을 완성하고 조선어학회에 이를 기증했다. 당시 건물의 시가는 4천여 원이나 되었다고 한다.

이뿐만 아니라 1935년부터 1936년까지 표준어사정위원회가 개최될 때 정세권은 물질적인 후원을 아끼지 않았다. 그 때문에 정세권은 일제 경찰에 잡혀가 고문을 받기도 했다.

이런 노력이 있었기에 1938년 일제가 우리말글의 사용과 교육을 금지한 가운데도 한말글 정신을 지켜 낼 수 있었다. 그러나 일제는 조선어학회의 활동을 매우 불온한 독립운동으로 간주했다. 이는 1942년 10월 1일 조선어학회 사건으로 이어졌고 관련 학자들은 수난을 겪게 되었다. 애산 이인은 고문의 실상을 다음과 같이 증언했다.

형사들은 조서를 받다가 조금만 말이 엇갈리면 무조건 달려들어 마구 때리는데 한 번 맞고 나면 한 보름씩 말을 못했다. 앞니두 개가 빠지고 어금니는 온통 욱신거리고 흔들렸다. 몽둥이건 죽도건 손에 잡히는 대로 후려갈기니 양쪽 귀가 찢어졌다. 엄지손가락을 뒤로 젖히는 바람에 엄지와 검지 사이가 쭉 찢어져 이후 애산은 귀가 쪽박귀가 되고 손가락은 완전히 펴지 못하게 되었다. 더구나 견디기 어려웠던 것은 '아사가제'라는 것과 '비행기 태우기'였다. 사지를 묶은 사이로 목총을 가로질러 꿰넣은 다음 목총 양 끝을 천장에 매달아 놓고 비틀거나 저며 들게 하는 것이 비행기 태우기이고, 두 다리를 뻗은 채 앉혀 놓고 목총을 두 다리 사이에 넣어 비틀어 대는 것이 '아사가제'라는 것인데, 더욱 괴로운 것이 아사가제로 평생 보행이 부자연스러울 만큼 다리가 상했던 것이다.

_이인,《반세기의 증언》

일제에게 잔혹한 고문을 받은 이윤재와 한징은 옥중에서 순국했다.《매일신보》는 참혹했던 고문을 다음과 같이 보도했다.

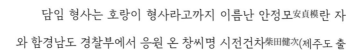

담임 형사는 호랑이 형사라고까지 이름난 안정모安貞模란 자와 함경남도 경찰부에서 응원 온 창씨명 시전건차柴田健次(제주도 출생 김건치로, 그 후 경기도 경찰부로 전근)란 자로 때로는 천장 대들보

에 두 팔을 끌어매어 달아 놓기도 하고, 혹은 목총이나 죽검으로 뭇놈의 형사가 보리타작하듯 치기도 하고, 개짐승같이 마룻바닥에 엎드려 꿇어 놓기도 하고, 같이 취조받고 있는 동지까지 서로 맞세워 놓고 죽검으로 마주 때리라고 강박도 하고, 혹은 유도로 볏단을 던지듯 메꽂기도 하고, 몽둥이로 뭇놈의 형사가 떡치듯 돌아가며 내치기도 하고, 혹은 콧구멍에 물주전자를 대고 붓기도 하여, 날이면 날마다 야만적인 고문이 우리 선생들의 약한 몸 위에 그칠 때가 없었다.

_《매일신보》1945년 10월 10일

가갸날, 한글날의 유래

한글학회의 업적에서 한글날을 빼놓을 수 없다. 처음 한글날이 제정된 것은 1926년이었는데, 지금과 같은 10월 9일이 아닌 음력 9월 29일이었다. 한글학회는 일제의 억압에 눌려 위축되어 있던 겨레 얼을 북돋고 우리말글 정신을 드높이기 위해 훈민정음 반포일을 기념하고자 했지만, 정확한 날짜 파악에 어려움을 겪었다. 훈민정음 반포 기록은 1940년에 발견된 《훈민정음》 해례본에 정확하게 실려 있지만, 이때는 아직 해례본을 찾기 전이어서 《조선왕조실록》 기록에 기대어 음력 9월 29일을 반포일로 삼게 된 것이다.

실록에 실린 반포 관련 기록은 '이번 달에 훈민정음이 이루어지다是月訓民正音成'라는 식으로 몰아서 정리한 달별 기사였기에 정확한 날짜를 파악하기가 어려웠다. 그래서 기사가 기재된 1446년 9월 29일을 기준으로 삼고 이를 양력으로 환산해 1926년 11월 4일, 각계 인사 400여 명을 초청해 한글 반포 8회갑(480년) 잔치를 베풀고 '가갸날'로 선포했다. 만해 한용운은 《동아일보》에 발표한 시 〈가갸날〉을 통해 "아아, 가갸날 참되고 어질고 아름다워요"라고 그 감격을 노래했다.

한글날이 10월 9일로 정해지기까지 많은 우여곡절이 있었다. 1928년에 이름을 '가갸날'에서 '한글날'로 바꾸고 1931년부터는 양력 10월 29일로 날짜도 바꾸었는데, 이는 율리우스력에 기반한 날짜였다. 세종 당시 서양에서 사용한 율리우스력을 반영한 것이었지만 일제강점기 시절의 양력은 1582년에 개정된 그레고리력이었기에, 이를 기준으로 삼아야 하지 않겠느냐는 의견이 대두되었다. 그래서 이명칠, 권상로, 이원철, 김시중 등 전문가들이 환산을 해서 세종 28년 음력 9월 29일은 서기 1446년 10월 28일이라고 결론을 내리고, 이날을 한글날로 기념하게 되었다.

그런데 1940년에 발견된 해례본에 적힌 '정통 11년 9월 상한正統十一年九月上澣'이라는 기록으로 정확한 한글 반포날이 밝혀졌다. 1945년 광복을 맞이한 한글학회는 해례본에 기록된 날짜를 양력으로 환산하여 10월 9일을 한글날로 확정했다. 이듬해인 1946년에는 한글 반포 500주년을 맞이해 한글날이 공휴일로 지정되었으며, 각계 인사 2만여 명이 덕수궁에 모여 기념식을 치렀다. 이후 이 기념식은 한글학회와 세종대왕기념사업회가 매년 주관해 왔다. 그러다 서울시가 주관한 1981년을 제외하고 문화공보부(지금의 문화체육관광부)로 이관되어 지금까지 진행되고 있다.

한때 한글날이 국경일과 공휴일에서 제외되고 기념일로만 남은 적이 있다. 휴일이 너무 많아 경제 발전에 장애가 된다는 이유였다. 한글날의 의미가 시대마다 바뀔 수는 있지만, 노동 정책과 맞물렸다는 점은 참으로 이치에 맞지 않는 일이다. 한글 단체들의 줄기찬 투쟁 덕분에 2005년 공휴일이 아닌 국경일이 되었고, 2013년부터는 명실상부한 공휴일인 국경일로 되살아났다. 정말 다행이다.

한글글자마당, 1만 1,172자의 과학

_ 서울시 종로구 세종대로 세종로공원

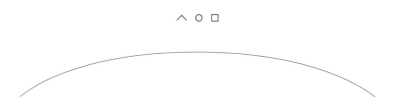

세종대왕 동상을 뒤로하고 광화문 쪽으로 발길을 돌려 정부종합청사 쪽으로 걷다 보면 세종로공원이 눈에 들어온다. 2011년에 조성한 한글글자마당과 2014년에 조성한 조선어학회 한말글 수호탑이 우리를 반겨 준다.

한글의 첫소리, 가운뎃소리, 끝소리로 조합할 수 있는 1만 1,172가지 글자를 새겨 놓은 공간이다. 그 글자는 공모에서 선정된 것들로 1만 1,172명이 한 글자씩 직접 쓴 글씨들이다. 공모는 재외동포, 다문화 가정, 국내 거주 외국인, 새터민 등을 대상으로 광범

위하게 진행되었다. 한글글자마당은 한글의 과학성과 우수성을 세계에 널리 알리고, 대한민국 국민의 자긍심을 높이려는 취지로 만들었다.

세상의 모든 소리를 담다

한글은 모음자를 중심으로 첫소리 자음과 끝소리 자음(받침)을 모아 한 글자 단위로 쓴다. 물론 받침이 없는 글자도 있다. 이런 특징 때문에 가로로 풀어쓰는 알파벳과 달리 한글은 가로뿐만 아니라 세로로도 글자를 배열할 수 있다. 그래서 바둑판처럼 가지런하게 배열되는 음절표가 생긴 것이다. 한글처럼 모아쓰기 음절 글자는 자음과 모음을 결합해 수많은 음절 글자를 생성할 수 있다는

◉ 한글글자마당, 가운데
쪽 멀리 조선어학회
한말글수호탑, 오른쪽
으로 정부종합청사가
있다.

가운뎃소리 글자

	ㅇ	ㄱ	ㅋ	ㄲ	ㄴ	ㄷ	ㅌ	ㄸ	ㄹ	ㅁ	ㅂ	ㅍ	ㅃ	ㅅ	ㅈ	ㅊ	ㅆ	ㅉ	ㅎ
ㅣ	이	기	키	끼	니	디	티	띠	리	미	비	피	삐	시	지	치	씨	찌	히
ㅏ	아	가	카	까	나	다	타	따	라	마	바	파	빠	사	자	차	싸	짜	하
ㅑ	야	갸	캬	꺄	냐	댜	탸	땨	랴	먀	뱌	퍄	뺘	샤	쟈	챠	쌰	쨔	햐
ㅓ	어	거	커	꺼	너	더	터	떠	러	머	버	퍼	뻐	서	저	처	써	쩌	허
ㅕ	여	겨	켜	껴	녀	뎌	텨	뗘	려	며	벼	펴	뼈	셔	져	쳐	쎠	쪄	혀
ㅔ	에	게	케	께	네	데	테	떼	레	메	베	페	뻬	세	제	체	쎄	쩨	헤
ㅐ	애	개	캐	깨	내	대	태	때	래	매	배	패	빼	새	재	채	쌔	째	해
ㅖ	예	계	켸	꼐	녜	뎨	톄	뗴	례	몌	볘	폐	뼤	셰	졔	쳬	쎼	쪠	혜
ㅒ	얘	걔	컈	꺠	냬	댸	턔	떄	럐	먜	뱨	퍠	뺴	섀	쟤	챼	썌	쨰	햬
ㅡ	으	그	크	끄	느	드	트	뜨	르	므	브	프	쁘	스	즈	츠	쓰	쯔	흐
ㅗ	오	고	코	꼬	노	도	토	또	로	모	보	포	뽀	소	조	초	쏘	쪼	호
ㅛ	요	교	쿄	꾜	뇨	됴	툐	뚀	료	묘	뵤	표	뾰	쇼	죠	쵸	쑈	쬬	효
ㅜ	우	구	쿠	꾸	누	두	투	뚜	루	무	부	푸	뿌	수	주	추	쑤	쭈	후
ㅠ	유	규	큐	뀨	뉴	듀	튜	뜌	류	뮤	뷰	퓨	쀼	슈	쥬	츄	쓔	쮸	휴
ㅢ	의	긔	킈	끠	늬	듸	틔	띄	릐	믜	븨	픠	쁴	싀	즤	츼	씌	쯰	희
ㅚ	외	괴	쾨	꾀	뇌	되	퇴	뙤	뢰	뫼	뵈	푀	뾔	쇠	죄	최	쐬	쬐	회
ㅟ	위	귀	퀴	뀌	뉘	뒤	튀	뛰	뤼	뮈	뷔	퓌	쀠	쉬	쥐	취	쒸	쮜	휘
ㅘ	와	과	콰	꽈	놔	돠	톼	똬	롸	뫄	봐	퐈	뽜	솨	좌	촤	쏴	쫘	화
ㅝ	워	궈	쿼	꿔	눠	둬	퉈	뚸	뤄	뭐	붜	풔	뿨	숴	줘	춰	쒀	쭤	훠
ㅙ	왜	괘	쾌	꽤	놰	돼	퇘	뙈	뢔	뫠	봬	퐤	뽸	쇄	좨	쵀	쐐	쫴	홰
ㅞ	웨	궤	퀘	꿰	눼	뒈	퉤	뛔	뤠	뭬	붸	풰	뿼	쉐	줴	췌	쒜	쮀	훼

끝소리 글자

ㄱ	ㅋ	ㄴ	ㄷ	ㅌ	ㄹ	ㅁ	ㅂ	ㅍ	ㅅ	ㅈ	ㅊ	ㅇ	ㅎ
윽	읔	은	읃	읕	을	음	읍	읖	웃	읒	읓	응	읗

ㄳ	ㄲ	ㄵ	ㄶ	ㄺ	ㄻ	ㄼ	ㄽ	ㄾ	ㄿ	ㅀ	ㅄ	ㅆ
몫	닦	앉	많	닭	닮	넓	곬	핥	읊	싫	없	었

○ ∧ □

장점이 있는데, 이는 과학적 원리에 기반한 실용성을 보여 준다.

현대 한글은 첫소리에 올 수 있는 자음자는 기본 14자, 된소리 글자 5자까지 모두 19자가 올 수 있다. 가운뎃소리에 올 수 있는 모음자는 기본 10자에 이중모음 11자가 더 있어 21자가 쓰인다. 끝소리에 올 수 있는 자음자는 겹받침 포함 27자나 된다.

56쪽의 표는 필자가 한글 교육을 위해 개발한 것으로, 첫소리 글자는 음가가 없는 ㅇ을 맨 앞으로 하고 나머지는 훈민정음 제자 원리에 따라 배열했다. 가운뎃소리 글자는 수직선 계열의 모음자와 수평선 계열의 모음자 순으로 배열한 것이다.

따라서 생성 가능한 글자 수는 받침 없는 글자 399자(첫소리 글자 19자×가운뎃소리 글자 21자), 받침 있는 글자 1만 773자(받침 없는 글자 399자×끝소리 글자 27자)이다. 받침 없는 글자와 받침 있는 글자 수를 합치면 1만 1,172자가 된다. 더 간편하게도 계산할 수 있다. 받침 없는 글자의 경우를 받침 있는 글자 27자에 더하면 28자가 된다. 따라서 19×21×28을 계산하면 1만 1,172자가 나온다. 이는 그만큼 말소리를 적을 수 있는 영역이 넓다는 뜻이며 한글의 과학성을 엿볼 수 있는 대목이다.

오늘날에는 말소리가 없어져 쓰이지 않는 글자가 많기에 1만 1,172자 가운데 실제 쓰이는 글자 수는 2,500자 안팎이지만, 글자를 응용해 모든 인류의 다양한 말소리를 적을 수 있다. 이처럼 한글은 잠재적 실용성이 뛰어난 문자이다.

1만 1,172개의 글자, 1만 1,172개의 사연

한글의 이렇게 놀라운 가치를 다양한 사람들이 직접 참여해 멋진 조각품으로 만들어 놓은 곳이 바로 한글글자마당이다. 한글이 새겨진 돌은 모두 22개이다. 초성 자음을 기준으로 배치해 놓았는데 현대 기본 자모 14자에 된소리 글자 5개, 지금 안 쓰는 글자 'ㆆ, ㅿ, ㆁ' 세 글자도 새겨 놓았기 때문이다. 물론 사용 예 없이 글자만 새겨 놓았다.

각각의 자음을 상징하는 기둥의 네 면과 기둥에 닿은 땅바닥 네 면에 그 자음으로 시작하는 글자들을 모두 새겨 놓았다. 1만 1,172명이 직접 공모한 글자를 디자인해 새겼기 때문에 참가한 사람의 수만큼의 다양한 글맵시가 빛난다. 한글가온길을 산책하다 보면 자신이 새긴 글자를 가리키며 좋아하는 사람들을 간혹 만난

❯ 박정애 세종연수원 대표가 자신이 직접 써서 공모해 새겨진 글자 '릲'을 가리키고 있다.

○ ∧ □

다. 필자의 한 지인은 한글의 모든 글자 중 마지막 글자인 '힣'을 썼다며 뿌듯해한다(전남대 손희하 명예 교수). 자신의 글씨체를 새긴 글자 '릻'을 가리키며 기뻐하는 분도 있다(박정애 세종연수원 대표).

24자의 기본 자모음이 결합해 이렇게 형형색색 빛깔을 내니, 마치 만백성이 쉬운 문자로 지식과 정보를 나눠 하늘을 닮은 사람이 되라는 세종대왕의 뜻이 빛나는 것만 같다.

훈민정음 28자와
12척의 뜻을 아로새기다

_ 서울시 종로구 세종대로 광화문광장

두 해에 걸친 공사를 끝내고 새롭게 단장한 광화문광장이 우리 곁으로 돌아왔다. 차도에 둘러싸인 도심 속의 외로운 섬 같은 곳이었지만, 이제는 이순신 장군 동상 앞 명량 분수나 공사 중 발굴된 유적 전시장 등이 있는 다채로운 쉼터로 탈바꿈했다. 광화문광장은 어떤 이들에게는 한일 월드컵으로, 또 어떤 이들에게는 영하의 기온 속 촛불로 기억될 것이다. 필자에게 이곳은 한글의 역사가 아로새겨진 우리말글의 성지로 다가온다.

필자가 근무하는 연구소는 광화문 근처에 있다. 덕분에 거의 날마다 세종대왕상과 이순신 장군상을 보는 행운을 누리고 있다. 훈민정음 28자(자음 17자, 모음 11자)로 문자 소통의 어려움에서 온 겨레를 구한 임금과 배 12척으로 울돌목(명량)에서 나라를 위기에서 구한 장군이 한자리에 있는 것이 예사롭지 않다. 세종과 이순신은 한국의 대표 위인이자 한국인이 가장 존경하는 인물이니 한자리에 있는 것은 어찌 보면 당연한 일이다.

28과 12는 작은 숫자이지만 극대화하면 그 어떤 숫자보다 크고 위대하다

한국을 대표하는 두 위인에게는 공통점이 많지만 필자는 크게 다섯 가지를 떠올려 보았다.

첫째, 12와 28이라는 숫자의 의미다. 비록 12와 28은 작은 숫자이지만 극대화하면 그 어떤 숫자보다 크고 위대해진다. 이순신과 세종대왕 모두 지도자의 진정한 영도력으로 구성원의 힘을 극대화시킨 예에 속한다. 배 12척에 탄 병사들에서 12척을 둘러싼 지역 주민들까지, 모든 구성원의 힘을 극대화했기에 12척으로 300여 척을 물리칠 수 있었다. "우리가 개고생한 것을 후손들이 알지 몰라"라고 했던, 영화 〈명량〉 속 노꾼들의 죽음을 무릅쓴 용기가 후손을 구해낸 힘이 되었다. 세종도 가장 간결한 28자의 기능을 최대한 활용함으로써 백성들의 힘의 근원인 소통을 가능하게 했다. 정보와 지식

뿐만 아니라 섬세한 감정까지 소통할 수 있게 해 백성을 구하고 나라를 구한 것이다.

둘째, 건강한 조직을 이루어 구성원들이 재능을 마음껏 발휘하게 했다는 점이다. 비록 이순신 장군에게도 배설 같은 이탈자가 있었고, 일부 주춤거리는 장수도 있었지만 끝내는 모두 전심전력을 다해 자신들의 재능을 아낌없이 발휘했다. 또 그것이 승리의 지렛대가 되었다. 세종 역시 적재적소에서 인재들이 역량을 발휘할 수 있게 했다. 노비 출신인 장영실조차 중국으로 유학을 보내 선진 학문과 기술을 배우게 해서 마음껏 재능을 꽃피우게 했다.

셋째, 철저한 준비 전략을 세웠다. 12척의 승리는 결코 우연이 아니었다. 이순신은 무능하고 파렴치한 지배자들에게 고문당했는데도 도무지 이길 것 같지 않던 전쟁을 승리로 이끌었다. 장군이 평소 건강한 군대를 위해 부단히 애쓰고 힘을 기울였기에 가능한 일이었다. 장군에게는 장교든 사병이든 모두가 중요했다.

세종 또한 10년 넘게 음악과 천문학, 음운학 연구 등을 통해 새 문자 창제를 철저히 준비했다. 거기다 질병, 굶주림, 국방 같은 나라의 온갖 문제를 해결하면서 국가의 역량을 최고로 끌어올렸다. 이런 준비가 있었기에 1443년 12월 훈민정음 28자를 당당하게 공표하고 사대부들을 설득하는 데 성공했다.

넷째, 소통을 매우 중요하게 여기고 실천했다. 이순신 장군의 서재는 운주당이었는데, 이곳에서 모든 일을 밤낮으로 의논했다. 이런 다양한 소통이 건강한 군대, 효율적인 군대, 서로 믿고 따르는 군대를 만들었다. 세종 또한 공식 회의나 경연에서 끊임없이 신하들과 토론을 벌였다. 그렇기에 가장 위대한 소통의 문자를 만든 것이다.

다섯째, 두 사람 모두 기적 아닌 기적을 이뤄 냈다. 12척의 승리가 이순신의 철저한 준비에서 비롯한 것이라지만, 300여 척과 싸워 이긴 것은 기적이 틀림없다. 세종이 15세기에 소리 문자 28자를 만든 것 또한 기적이다. 왜냐하면 당대의 지식인이나 사대부 그 누구도 우리말을 한자로 적는 모순을 모순으로 인식하지 않았고, 하층민을 배려하면서 소통하려 하지 않았기 때문이다. 그렇기에 철저한 준비와 노력으로 이룬 기적 아닌 기적이라는 것이다.

안타깝게도 세종은 자신이 만들어 반포한 한글이 아닌 한자로 새겨진 '光化門광화문' 현판 앞에 서 있다. 소통을 중요하게 여긴 충무공 이순신 장군상 앞의 머릿돌에는 한자로 '忠武公李舜臣將軍像충무공이순신장군상'이라고 새겨져 있다. 이것이 가장 위대한 문자를 만들어 놓고도 500년 이상을 비주류 문자로 홀대해 온 부끄러운 우리 역사의 상징이 아니고 무엇이랴.

한글 표기, 대한민국의
상식과 근본에 관한 문제이다

세종이 집현전 학자들과 1426년에 내걸었던 '광화문'과 우리

국민 모두의 위인 이순신 장군상 푯말은 한글로 표기해야 한다. 그런데 대한민국을 상징하는 인물의 이름을, 그것도 대한민국 수도 한복판에서 대한민국 공용 문자인 한글로 표기하지 않고 있다면 이게 상상이나 되는 이야기일까? 이것은 케케묵은 한글 전용 논쟁이 아니다. 대한민국의 상식과 근본에 관한 문제이다.

새로 단장한 광화문광장에서 가장 많이 변화된 곳은 이순신 장군상 주변이다. 좌우 전방으로 충무공의 해전을 상징하는 명량 분수를 설치하고, 34개의 업적과 어록 새김돌을 설치했다. 서울시 '광화문광장 아카이브(gwanghwamun.seoul.go.kr)'를 보면, 동상 안쪽 분수의 133개 물줄기는 명량해전 당시 격퇴한 133척의 왜선 수를, 바깥쪽 분수는 한산도대첩 당시 학익진(학이 날개를 편 듯 적을 둘러싸기에 편리한 진형)을 상징한다고 한다. 분수 앞 바닥의 조명은 이순신 장군이 태어난 1545년을 상징하기 위해 길이를 15.45미터로 맞추었다고 한다.

하루는 이곳을 찾은 3명의 대학생에게 가장 중요한 안내문인 '忠武公李舜臣將軍像'을 읽어 보라고 했더니, 이순신 장군의 이름 자체를 읽을 수 없다고 했다. 사실 한자를 공부한 사람들도 '舜' 자가 중국 고대 요순시대의 순임금인 '순'을 나타낸다는 것을 잘 모르는 경우가 많다. 이순신 장군 형의 이름은 '이요신李堯臣'이다.

필자가 몇 년 전에 관광해설사들에게 특강을 진행한 적이 있다. 그때 들었던 충격적인 얘기를 잊을 수 없다. 일부 외국인 관광객들은 이순신 장군의 이름이 한자로 되어 있다 보니, 임진왜란 때

명나라에서 파병한 장수로 오해한다는 것이다. '李舜臣'에서 '舜'이
중국 고대 임금인 '순임금 순', '臣'이 '신하 신'이라는 뜻이다 보니 더
욱 그런 오해를 하는 듯하다.

  굳이 외국인을 의식하지 않는다 해도 한자를 모르는 국민들은
이름을 읽을 수조차 없다. 국가가 국법(국어기본법)을 어기고 있는
셈이다. 이 동상이 세워진 1968년에는 이미 1948년에 제정된 한글
전용법이 시행되었다. 설령 그 당시의 관습 때문에 한자로 적었다
해도 이제는 2005년에 제정한 국어기본법에 의거해 '충무공 이순
신 장군상'이라고 해야 한다. 동상 근처에 5개 국어 설명 표지판을
세우면 더욱 좋을 것이다.

  이렇게 하면 누구나 읽을 수 있고 이순신 장군의 품격을 높일
수 있다. 더 나아가 대한민국의 국격과 자존감은 물론 대한민국 최
고의 브랜드인 '한글'의 가치도 높아질 것이다.

세종대왕 왼손에 든 《훈민정음》 해례본과
세종 서문에 담긴 꿈

  세종대왕 동상 앞에는 세종 당시의 찬란한 업적을 대표하는
네 가지 발명품이 설치되어 있다. 바로 훈민정음, 앙부일구, 측우
기, 혼천의이다. 모두 소중하지만 역시 으뜸은 세종이 직접 남긴 서
문이 옛말과 현대말로 새겨진 새김돌이다.

세종대왕이 직접 저술한 《훈민정음》 정음편은 크게 '세종 서문'과 '예의'로 나뉜다. 대한민국 고등학생이라면 누구나 배우는 '세종 서문'은 정확히 말하면 임금이 직접 지은 글이고, '세종'은 사후에 붙은 이름이므로 '어제 서문'이라고 해야 한다. 사실 엄격히 말하면 서문이 아니라 훈민정음을 왜 만들었는지, 그 참뜻은 무엇인지를 밝힌 훈민정음 취지문이다.

흔히 '나랏말싸미-'로 알려져 있는 서문은 최초의 해례본 서문이 아니다. 해례본은 양반들을 위해 1446년에 펴낸 한문본이고, 이 가운데 세종이 쓴 정음편을 당시 언문(훈민정음)으로 옮기고 풀이한 언해본에 나오는 것이다. 이 언해본은 세종 때 번역한 것으로 추정되지만, 지금 우리가 보고 있는 언해본은 1459년(세조 5)에 《월인석보》라는 불경 앞에 실려 전해지는 것이다.

새김돌에는 언해본 서문과 현대말 번역이 함께 새겨져 있다. 모두 함께 읽으며 그 의미를 되새겨 보자. 원래 한문과 비교해 보면 그 의미를 더 정확히 알 수 있다.

國之語音 異乎中國 與文字不相流通.

나·랏:말쌋·미 中듕國·귁·에 달·아 文문字·쫑·와·로 서르 ᄉᆞᄆᆞᆺ·디 아·니홀·씨

우리나라 말이 중국과 달라 한자와는 서로 잘 통하지 아니한다.

ㅇ ㅅ ㅁ

이 글을 보면 국國과 중국中國을 대비시키고 있다. 중국은 중화의 나라, 황제가 있는 세계 중심의 나라로 그 당시 '명나라'를 가리킨다. 하지만 명나라만을 가리킨다고 이해해서는 안 된다. 명나라만을 가리킨다면 우리나라도 '조선'이라 칭했을 것이다. 여기서는 한자와 한문을 써 온 오랜 역사 속에서의 중국으로 이해해야 한다. 조선과 명나라 대신 '국'과 '중국'을 대비시킨 이유는 한자와 한문을 오랜 역사에서 이야기했기 때문이다. 중국이 중심이 된 나라라고 한다면 '國'은 그 당시 우리나라를 가리킨다. 당시에는 사대 관계였기 때문에 중국의 제후 국가 비슷하게 변방의 나라, 중국식으로는 '동쪽의 오랑캐 나라'라는 속국으로 표현하다 보니 그렇게 적은 것이다.

중국이라는 말은 언해본에서 황제가 있는 나라로 표현되어 있고, 황제는 강남에 있다고 표현했다. '강남'이라는 말을 대다수 학자가 양쯔강 '이남'이라고 오해하는데 잘못된 해석이다. 나라는 여러 변화를 겪으면서 수도가 바뀌기도 한다. 당시 명나라만 해도 수도를 난징에서 베이징으로 옮겼으므로 강남을 양쯔강 이남으로 생각하면 안 된다. 황제가 있던 곳이 문화가 번성하고, 중화라는 말은 세계 중심으로 문명이 꽃핀 곳을 뜻했기 때문에 이를 '강남'으로 지칭한 것이다.

이렇게 '국'과 '중국'을 대비시키면서 '(중국과) 다르다(-異-)'는 이야기를 하고 있다. 다시 말해, 중국과 말소리가 다른데도 문자는 중국 한문을 빌려 쓰고 있음을 강조한 것이다. '여문자불상유통與文

字不相流通'에서 '문자'는 한자를 가리키며, '한자로는 서로 뜻이 통하지 않는다'는 말이다. 문자는 공통적으로 한자를 쓰지만 말은 서로 다르다는 뜻이다. 우리말을 적은 한문은 중국식 문장이다. 우리나라 말은 서술어가 맨 마지막에 나오고, 중국어는 영어와 마찬가지로 주어 다음에 서술어가 나온다. 당시의 지배층, 지식인들 역시 지금과 같은 짜임새로 이야기를 나누었지만, 한문으로 옮길 때는 중국식으로 번역해서 사용했다.

그러다 보니 우리말을 제대로 담을 수 없었다. 우리말에 발달해 있는 조사와 '가-고, 가-니'에서 '-고, -니'와 같은 어미 등은 한문으로 적을 수 없었다. 중국식 문장은 우리말을 한자, 한문으로 억지로 옮겨 놓은 것에 불과했다. 우리의 말소리, 조사와 어미 등을 한문으로 적을 수 없었기 때문에 한자를 변형한 이두를 만들어 쓰기까지 했다.

한자로는 서로 뜻이 통하지 않는다

그러나 이두로 적었다고 해도 이 또한 원류는 한자이기 때문에 더 복잡해질 뿐이었다. 이렇게 보면 '불상유통'이라는 표현은 '말과 글이 유통되지 않다'라는 뜻도 되고, 한자를 아는 사람과 한자를 모르는 사람 사이에 소통이 되지 않다는 뜻도 될 것이다. '한자로는 서로 뜻이 통하지 않는다'라는 이 문장에 15세기까지 이어

지던 말과 글의 모순, 그로 인한 문자 생활의 모순이 극명하게 서술된 셈이다.

故愚民有所欲言 而終不得伸其情者多矣.

이런 젼·ᄎ·로 어·린 百·빅姓·셩·이 니르·고·져 ·홇·배 이·셔·도 ᄆᆞ·ᄎᆞᆷ:내 제·ᄠᅳ·들 시·러 펴·디:몯ᄒᆞᆯ·노·미 하·니·라

이런 까닭으로 어리석은 백성들이 말하고자 하는 바 있어도 마침내 제 뜻을 펴지 못하는 사람이 많다.

'우민愚民'은 직역하면 '어리석은 백성'인데, 그 당시에 한자를 몰라서 책을 읽을 수 없었던 평민 이하의 백성들을 가리킨다. 읽지 않고 배우지 않으면 우매한 백성이 될 수밖에 없다. 그래서 '어린'을 보통 '어리석은'으로 번역하지만, 요즘의 '어리석은'은 사람을 낮춰 보는 의미가 강하다. 물론 당시에도 그런 의미가 내포되어 있었지만 세종의 진짜 의도는 한자, 한문으로부터 소외받은 사람들에 대한 애민 정신을 드러낸 것이다. '욕언欲言'은 '하고 싶은 말'을 의미한다.

'而終不得伸其情者多矣이종부득신기정자다의'는 하고 싶은 말이 있어도 한자를 모르거나 어렵기 때문에 하고 싶은 말을 표현할 수 없었던 언어생활의 모순을 직설적으로 표현한 것이다. 반대로 얘기하면 모든 백성들이 자신의 감정과 뜻, 하고 싶은 말 등을 '마음껏 펼칠 수 있도록伸其情' 문자를 만들었다는 의미를 담고 있다. '정情'은 보통 '뜻'을 의미한다. '의意' 또한 '뜻'을 나타내지만 지식과 정보 중심의 뜻을 말한다.

情은 意의 뜻은 물론 더욱 넓게 감정, 의지 등을 포함해서 가리키는 말이다. 당시에는 양반들조차 한문으로 우리의 정서를 마음껏 표현할 수 없었다. 한자, 한문을 잘했던 정조 역시 한자로 편지를 쓰다가 '뒤죽박죽'이라는 표현은 한글로 썼다. 원래는 한문 편지를 쓸 때 '錯綜착종'과 같이 한문으로 적어야 하는데, 이렇게 표현하면 뒤죽박죽에 담긴 감정이나 느낌이 잘 살지 않는다.

말에는 소리가 주는 힘도 있다는 사실을 고려하면 한글로 정서를 표현할 수 있게 노력한 세종의 뜻을 이해할 수 있다. 위의 문구만 보아도 당시 백성들이 하고 싶은 말이 많은데도 그것을 제대로 표현할 수 없어서 얼마나 절박했는지를 잘 알 수 있다.

予爲此憫然 新制二十八字 欲使人人易習 便於日用耳.

내 ·이·를 爲·윙·ᄒᆞ·야: 어엿·비 너·겨 ·새·로 ·스·믈여·듧 字·쫑·를 밍·ᄀᆞ노·니 :사ᄅᆞᆷ :마·다 :히·여 :수·비 니·겨 ·날·로·ᄡᅮ·메 便뼌安한·킈 ᄒᆞ·고·져 ᄒᆞᇙ ᄯᆞᄅᆞ·미니·라

내가 이것을 가엾게 생각하여 새로 스물여덟 글자를 만드니

모든 사람들로 하여금 쉬이 익혀서 날마다 쓰는 데 편하게 하고자 할 따름이니라.

당시 사대부들은 한자로 주고받는 게 너무도 당연했다. 한자가 아닌 다른 문자를 쓸 수 있다는 인식이 아예 없었다. 그래서 해례본에 참여한 8인조차 개인적으로 한글을 사용하지 않았다. 이들이 한글로 남겨 놓은 문헌은 없다. 개인적인 일기는 물론 시집, 학문에서도 한글을 사용하지 않았다. 연암 박지원을 비롯한 18~19세기 실학자들조차 한글을 사용하지 않았다. 이는 당시 사대부들의 일반적인 생각이었다. 따라서 그들이 함께 한글을 창제했다는 말은 타당하지 않다.

세종이 한글을 창제한 세 가지 주된 동기

'한글을 누가 창제했는가'는 세종이 새롭게 글자를 만든 동기를 살펴보면 답을 찾을 수 있다. 세종이 한글을 창제한 주된 동기에는 크게 세 가지가 있다. 말을 한자로 적을 수 없는 언어 모순을 해결하기 위한 언어학적 동기, 한자를 모르는 백성의 의사소통을 돕기 위한 사회적 동기, 한자만으로는 책을 통해 백성을 계몽하기 힘들었던 정치적 동기가 그것이다.

'欲使人人易習便於日用耳욕사인인이습편어일용이'라는 구절에서 사람이 두 번 나오는데 이는 모든 백성, 만백성을 의미한다. 한글을 만들 때는 하층민(우민)이 큰 동기가 되었지만, 결과적으로는 양반을 포함한 백성 전체를 강조하려고 人을 두 번 쓴 것이다. 이러한 맥락에서 세종의 마음을 읽었으면 한다.

'이습易習'이라는 표현도 주목하고 싶다. 쉽게 배워 일상생활에서 날마다 사용할 수 있는 글자를 만들고자 했다는 뜻이다. '便於日用耳'에서 '편하다'는 것은 쉬운 글자이기 때문에 '편리하다'는 의미도 있고, 쉬운 글자로 소통을 마음대로 하면 지식과 정보를 마음껏 나눌 수 있으니 '편안하다'는 의미도 있다. 즉, 便에는 '편리'와 '편안'이라는 뜻이 같이 담긴 것이다.

정리하자면 세종 서문에는 한자로 인한 언어생활의 모순과 일반 백성들의 고충, 그에 따른 창제 목적, 쉬운 28자에 담긴 편리함,

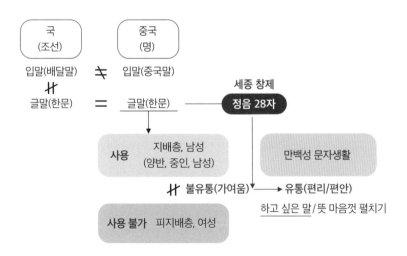

○ ∧ □

편안함의 가치가 모두 담겨 있는 셈이다. 아래 그림에 이를 정리해 보았다.

한문과 언해본, 현대말을 함께 보면 다음과 같다. 언해본은 모두 108자로 이루어져 있는데, 이는 쉬운 문자로 어려운 한자, 한문으로 인한 백팔번뇌를 씻으라는 의미를 담은 듯하다.

나·랏:말ᄊᆞ·미 中듕國·귁·에 달·아 文문字·ᄍᆞ·와·로 서르 ᄉᆞᄆᆞᆺ·디 아·니ᄒᆞᆯ·ᄊᆡ·이런 젼·ᄎᆞ·로 어·린 百·ᄇᆡᆨ姓·셩·이 니르·고·져·홇·배 이·셔·도 ᄆᆞᄎᆞᆷ:내 제·ᄠᅳ·들 시·러 펴·디:몯ᄒᆞᆯ·노·미 하·니·라. ·내 ·이·ᄅᆞᆯ 爲·윙·ᄒᆞ·야:어엿·비 너·겨·새·로 ·스·믈여·듦 字·ᄍᆞ·ᄅᆞᆯ 밍·

❯ 세종 서문에는 한자로 인한 언어생활의 모순과 일반 백성들의 고충, 그에 따른 창제 목적, 쉬운 28자에 담긴 편리함, 편안함의 가치가 모두 들어 있는 셈이다.

고ᄂᆞ·니 :사ᄅᆞᆷ :마·다 :ᄒᆡ·ᅇᅧ :수·ᄫᅵ 니·겨 ·날·로·ᄡᅮ·메 便뼌安한·킈
ᄒᆞ·고·져 ᄒᆞᇙ ᄯᆞᄅᆞ·미니·라.

_《훈민정음》언해본 108자

우리나라 말이 중국과 달라 한자와는 서로 잘 통하지 아니한
다. 이런 까닭으로 어리석은 백성들이 말하고자 하는 바 있어도 마
침내 제 뜻을 펴지 못하는 사람이 많다. 내가 이것을 가엾게 생각하
여 새로 스물여덟 글자를 만드니 모든 사람들로 하여금 쉬이 익혀
서 날마다 쓰는 데 편하게 하고자 할 따름이니라.

_광화문광장 새김돌 서문

훈민정음의
발자취를 찾아서

비밀 과업이었던
한글 창제의 공간들

_ 서울시 종로구 경복궁과 창덕궁

ㅅ ㅇ ㅁ

　경복궁은 한글이 창제되고 반포된 곳이다. 세종대왕은 1443년에 창제를 마무리하고 1446년에 반포했다. 훈민정음, 곧 한글은 인류 역사에서 탄생 맥락이 정확히 밝혀지고 문자 해설서가 있는 유일한 문자이다. 여기서 탄생 맥락이란 누가, 언제, 어디서, 어떻게, 왜 만들었는지 그 총체적 과정과 상황을 말한다.

　새로운 문자 탄생이 이뤄진 경복궁은 세종이 훈민정음을 창제하고 온전히 완성한 궁궐이기도 하다. 경복궁과 더불어 창덕궁도 훈민정음 창제와 연구가 이뤄진 공간으로 볼 수 있다. 왕실의 주요 공식 행사는 대부분 경복궁에서 진행되었지만, 세종의 실제 일상생활과 업무는 창덕궁에서도 많이 이뤄졌기 때문이다. 훈민정음 창제 공간이었던 경복궁과 창덕궁을 들여다보려면 왜 세종이 훈민정음을 비밀리에 단독으로 창제했는지를 이해해야 한다.

한글처럼 위대한 문자를
혼자서는 만들 수 없었을 것이다?

아직도 많은 사람들이 훈민정음은 세종이 집현전 학사들과 '함께' 만들었다고 잘못 알고 있다. 한글처럼 위대한 문자를 혼자 만들 수 없었을 것이라는 막연한 추측 때문이 아닐까. 여기에 임금이니까 신하들을 시켜 만들었을 것이라는 선입관, 민중사관에서 나온 영웅사관 배척 등이 원인이 되어 이런 오해를 낳은 것이다.

《훈민정음》 해례본에서는 창제의 주체를 다음과 같이 명확히 밝히고 있다. 편의상 번역문으로 인용한다.

내(세종)가 이것을 가엾게 여겨 새로 스물여덟 글자를 만드니

_《훈민정음》 해례본 세종 서문

계해년 겨울(1443년 12월)에 우리 임금(세종)께서 정음 스물여

○ ∧ □

덟 자를 창제하여, 간략하게 예와 뜻(예의)을 적은 것을 들어 보여 주시며 그 이름을 '훈민정음'이라 하셨다.

······(중략)······

드디어 임금께서 상세한 풀이를 더하여 모든 사람을 깨우치도록 명령하시었다. 이에, 신이 집현전 응교 최항과 부교리 박팽년과 신숙주와 수찬 성삼문과 돈녕부 주부 강희안과 행집현전부수찬(벼슬 이름) 이개와 이선로들로 더불어 삼가 여러 가지 풀이와 보기를 지어서, 그것을 간략하게 서술했다.

_《훈민정음》해례본 정인지 서문

아! 정음이 만들어져 천지 만물의 이치가 모두 갖추어졌으니, 그 정음이 신묘하다. 이는 틀림없이 하늘이 성왕(세종)의 마음을 일깨워, 세종의 손을 빌려 정음을 만들게 한 것이로구나!

_《훈민정음》해례본 제자해

이달에 임금께서 친히 언문 스물여덟 자를 만들었다.

_《세종실록》 1443년(세종 25) 12월 30일

신 등이 엎디어 보건대, 언문을 만든 것이 매우 신기하고 기묘하여, (임금께서) 새 문자를 창조하시는 데 지혜를 발휘하신 것은 전에 없이 뛰어난 것입니다.

_갑자상소문, 1443년 2월 20일

이처럼 세종이 직접 훈민정음을 창제했다는 일관된 증거가 명확하게 있다. 이 외에도 문자가 소통과 교화 도구로 사용될 수 있도록 끊임없이 고민한 세종의 모습이 실록에 고스란히 실려 있다.

문자 창제 과정을 암시하는
간접적인 이야기들

실록에는 1443년 12월 30일에 훈민정음 이야기가 처음 나오지만, 문자 창제 과정을 암시하는 간접적인 이야기는 이전의 여러 기록에서도 찾아볼 수 있다.

임금이 말하기를 "사람의 법은 함께 써야 하는 것인데, 지금은 옛날과 같지 않기 때문에 부득이 가까운 법률문을 준용하여 시행하는 것이다. 그러나 법률문이란 것이 한문과 이두로 복잡하게 쓰여 있어서 비록 문신이라 하더라도 모두 알기가 어려운데, 하물며 법률을 배우는 생도이겠는가. 이제부터는 문신 중에 정통한 자를 가려서 따로 훈도관을 두어 《당률소의唐律疏義》·《지정조격至正條格》·《대명률大明律》 등의 글을 강습시키는 것이 옳을 터이니, 이조로 하여금 정부에 의논하도록 하라"라고 했다.

_《세종실록》1426년(세종 8) 10월 27일

○ ∧ □

비록 세상 이치를 아는 사람이라 할지라도 법률문에 의거해 판단을 내린 뒤에야 죄의 경중을 알게 되거늘, 하물며 어리석은 백성이야 어찌 저지른 죄가 크고 작음을 알아서 스스로 고치겠는가. 비록 백성들로 하여금 다 법률문을 알게 할 수는 없을지나, 따로이 큰 죄의 조항만이라도 뽑아 적고, 이를 이두문으로 번역해 민간에게 반포해 보여, 어리석은 지아비와 지어미들로 하여금 범죄를 피할 줄 알게 함이 어떻겠는가.

_《세종실록》 1432년(세종 14) 11월 7일

오히려 어리석은 백성들이 아직도 쉽게 깨달아 알지 못할까 염려하여, 그림을 붙이고 이름하여 《삼강행실三綱行實》이라 하고, 인쇄하여 널리 펴서 거리에서 노는 아이들과 골목 안 여염집 부녀들까지도 모두 쉽게 알기를 바라노니, 펴 보고 읽는 가운데에 느껴 깨달음이 있게 되면, 인도하여 도와주고 열어 지도하는 방법에 있어서 도움됨이 조금이나마 없지 않을 것이다. 다만 백성들이 문자를 알지 못하여 책을 비록 나누어 주었을지라도, 남이 가르쳐 주지 아니하면 역시 어찌 그 뜻을 알아서 감동하고 착한 마음을 일으킬 수 있으리오. 내가 《주례周禮》를 보니 '외사外史(벼슬 이름)는 책 이름을 사방에 펴 알리는 일을 주관하여 사방의 사람들로 하여금 책의 글자를 알게 하고 책을 능히 읽을 수 있게 한다' 했으므로, 이제 이것을 만들어 서울과 외방에 힘써 회유誨諭의 방술術을 다하노라.

_《세종실록》 1434년(세종 16) 4월 27일

　　비록 교화가 다는 아니었다. 실제 언어생활에서 한자와 한문을 몰라서 생기는 여러 문제도 강력한 창제 동기가 되었다. 한자를 모르는 하층민이 겪는 소통의 문제를 다룬 다음의 기록이 그런 사실을 증명해 주고 있다.

　　사형 집행에 대한 법 판결문을 이두문자로 쓴다면, 글의 뜻을 알지 못하는 어리석은 백성이 한 글자의 착오로도 원통함을 당할 수도 있으나, 이제 그 말을 언문으로 직접 써서 읽어 듣게 하면, 비록 지극히 어리석은 사람일지라도 모두 다 쉽게 알아들어서 억울함을 품을 자가 없을 것이다.

_갑자상소에서 인용한 세종의 말

　　한문을 배우는 이는 그 뜻을 깨닫기가 어려움을 걱정하고, 범죄 사건을 다루는 관리는 자세한 사정을 이해하기가 어려운 것을 근심했다.

_《훈민정음》 해례본 정인지 서문

　　글 모르는 백성이 말하고자 하는 바가 있어도 마침내 제 뜻을 펴지 못하는 사람이 많으니라.

_《훈민정음》 해례본 세종 서문

이 기록들은 한글 창제에 관한 세종의 진정성과 한글 창제 및 반포가 어느 날 갑자기 이루어진 것이 아님을 생생히 보여 준다.

비밀 과업,
한글이 창제된 공간 네 곳

장기간의 비밀 과업이었던 한글 창제의 공간으로는 크게 네 곳을 주목하고 있다. 공적 공간으로는 임금의 개인 집무실이었던 사정전을 들 수 있다. 이 공간은 신하들과 국정을 논의하고 토론하는 곳이었으므로, 비밀 과업을 수행하는 공간으로는 적합하지 않을 수 있다. 그러나 문자 연구가 은밀한 공간에서만 이뤄지지는 않았을 것이다.

대표적인 사적 공간으로는 임금의 침전인 강녕전이 있다. 세종은 밤늦게까지, 또는 새벽 일찍 정무를 보거나 연구했다고 알려져 있다. 실록에서도 다음과 같이 기록하고 있다.

임금은 날마다 사경(새벽 1시~3시) 무렵에 일어나서, 날이 환하게 밝으면 군신의 문안을 받은 연후에 정사를 보며, 모든 정사를 처결한 연후에 면담을 행하여 나라를 다스리는 도리를 묻고, 수령의 하직을 고하는 자를 불러 보고 면담하여, 형벌 받는 것을 불쌍하게

조선시대 왕의 집무실이었던 사정전으로 경복궁 근정전 뒤에 있으며 보물제1759호로 지정되어 있다.

생각하며, 백성을 사랑하라는 뜻을 타이른 연후에, 경연經筵에 나아가 유학을 깊이 탐구하여 고금을 강론한 연후에 내전內殿으로 들어가서 편안히 앉아 글을 읽으시되, 손에서 책을 떼지 않다가 밤중이 지나서야 잠자리에 드시니, 글은 읽지 않은 것이 없으며 무릇 한 번이라도 귀나 눈에 거친 것이면 종신토록 잊지 않았는데, 경서經書는 반드시 백 번을 넘게 읽고, 역사책 등은 반드시 삼십 번을 넘게 읽고, 성리학을 정밀하게 연구해 고금의 모든 일을 널리 통달하셨다.

_《세종실록》 1450년(세종 32) 2월 22일

이런 기록으로 보아 세종은 강녕전에서 비밀 연구를 많이 했을 것으로 추측할 수 있다. 또 다른 공간으로 창덕궁을 꼽을 수 있다. 세종은 창덕궁에서도 업무를 자주 보았다.

마지막으로 세종이 장영실에게 명해 지은 임금의 직속 종합과

학연구소인 흠경각을 빼놓을 수 없다. 여기에는 계절을 측정하는 옥루기륜, 천체의 움직임을 관찰하는 혼천의, 하늘의 별자리를 관찰하는 혼상 같은 천문 관측기구 등이 설치되어 있었다. 훈민정음에 반영된 과학 원리나 과학 정신으로 보아, 흠경각에서 이루어진 과학 연구가 훈민정음 연구에 뒷받침되었을 것이라는 사실을 쉽게 짐작할 수 있다.

1443년 12월, 28자가 완성되어 훈민정음이 공개 과업으로 전환된 이후로는 집현전이 있던 수정전도 간접적인 창제 공간으로 활용했을 것이다. 이곳에서 신하들과 학술 토론을 하며 훈민정음 반포를 준비했기 때문이다.

집현전 교리 최항, 부교리 박팽년, 부수찬 신숙주·이선로·이개,

❯ 흠경각은 한글 창제 5년 전에 완공된 과학 연구소이다.

돈녕부 주부 강희안 등에게 명하여 관청에 나아가 언문으로 《운회》를 번역하게 하고, 동궁과 진안대군 이유, 안평대군 이용으로 하여금 그 일을 관장하게 했는데, 모두가 성품이 슬기롭고 분명하므로 상을 거듭 내려 주고 음식 내려 주는 것을 넉넉하고 후하게 했다.

_《세종실록》 1444년(세종 26) 2월 16일

의정부 우찬성 권제, 우참찬 정인지, 공조참판 안지 등이 《용비어천가》 10권을 올렸다.

_《세종실록》 1445년(세종 27) 4월 5일

드디어 임금께서 상세한 풀이를 더해 모든 사람을 깨우치도록 명하셨다. 이에 신이 집현전 응교 최항과 부교리 박팽년과 신숙주와 수찬 성삼문과 돈녕부 주부 강희안과 행집현전부수찬 이개와 이선로 등과 더불어 삼가 여러 가지 풀이와 보기를 지어서, 그것을 간략하게 서술했다. 대체로 보는 사람으로 하여금 스승이 없이도 스스로 깨우치게 했다. 그 깊은 근원과 정밀한 뜻은 신묘하여 신들이 감히 밝혀 보일 수 없다.

_《훈민정음》 해례본 정인지 서문

● 집현전이 있던
수정전, 바로 뒤
쪽에 경회루가
있다.

중국말과 전혀 다른
조선말의 독특한 구조와 발음 양상에 주목

세종은 중국말과 전혀 다른 조선말의 독특한 구조와 발음 양상에 주목했다. 그런 말을 억지로 한자와 한문으로, 그것도 일부 양반 지식인들만 적을 수 있다는 절대적인 모순에 주목했다. 한자를 일부 변형해 활용하는 향찰이나 이두로는 이런 모순을 해결할 수 없다는 사실도 직시했다.

옛날 신라의 설총이 이두를 처음 만들어서 관청과 민간에서 지금도 쓰고 있으나, 모두 한자를 빌려 쓰는 것이어서 매끄럽지도 못하고 막혀서 답답하다. 이두를 사용하는 것은 몹시 속되고 근거가 일정하지 않을 뿐만 아니라 실제 언어 사용에서는 그 만분의 일도 소통하지 못한다.

_《훈민정음》 해례본 정인지 서문

또한 세종은 한자와 전혀 다른 계열의 소리 문자인 산스크리트 문자, 파스파 문자(중국 원나라 세조의 명을 받아 티베트의 승려 파스파가 만든 문자로, 1269년에 반포하였으나 얼마 안 가 쓰지 않게 되었다) 등도 철저하게 연구했을 것이다. 세종은 이 모든 흐름을 융합해 한 차원 높은 문자를 창제했다. 이두나 일본의 가나 문자처럼 모방과 절충, 타협으로는 문자의 모순을 완전히 해결하기 어려움을 깨닫고, 자연의 소리를 최대한 잘 적고 바른 소리를 바르게 적고자 하는 고대의 정음 문자관에 주목했다.

천지자연의 소리가 있으면 반드시 천지자연의 문자가 있다. 그러므로 옛사람이 소리를 바탕으로 글자를 만들어서 만물의 뜻을 통하고, 천지인 삼재의 이치를 실었으니 후세 사람들이 능히 글자를 바꿀 수 없었다. 그러나 사방의 풍토가 구별되므로 말소리의 기운 또한 다르다.

_《훈민정음》 해례본 정인지 서문

천지자연의 이치는 오로지 음양오행뿐이다. 곤괘와 복괘의 사이가 태극이 되고, 움직이고 멎고 한 뒤에 음양이 된다. 무릇 천

○ ∧ □

지자연에 살아 있는 것들이 음양을 버리고 어디로 가겠는가? 그러므로 사람의 말소리(성음)도 모두 음양의 이치가 있는 것인데, 생각해 보니 사람들이 살피지 못했을 뿐이다. 이제 정음이 만들어지게 된 것도 애초부터 지혜를 굴리고 힘들여 찾은 것이 아니고, 단지 말소리의 이치를 끝까지 연구해 이뤄진 것이다. 이치가 이미 둘이 아니거늘 어찌 천지자연의 혼령과 신령스러운 정령과 함께 정음을 쓰지 않겠는가?

……(중략)……

아! 정음이 만들어져 천지 만물의 이치가 모두 갖추어졌으니, 그 정음이 신묘하다. 이는 틀림없이 하늘이 성왕(세종)의 마음을 일깨워, 세종의 손을 빌려 정음을 만들게 한 것이로구나!

_《훈민정음》해례본 제자해

정음 문자관을 제대로 이루기 위한 문자 과학과 문자 철학을 갖춘 세종은 마침내 새 문자 창제에 성공했다. 만백성과 소통해야 하는 임금의 권력을 지니고 다양한 학문에 능통하며, 새로운 문자 사상을 두루 갖춘 사람들이 비로소 할 수 있는 문자 창제였다.

세종은 새 문자 창제 17년 전인 1426년(세종 8)에 집현전 학사들에게 경복궁의 상징인 정문에 '광화문'이라는 새 이름을 짓고 현판을 올리게 했다. 말 그대로 모든 빛이 들어오고 나가는 문이었다. '광화문'은 조선 왕조의 정치·문화적 기틀이 마련되고 뻗어 나가는 상징이자 기점이 되었다.

우연인지는 모르지만, 세종은 그해부터 백성들과 문자 소통을 하기 위한 고민을 시작했다. 진정으로 빛이 들어오고 모이고 나갈 수 있게 하는 방법은 오로지 모든 백성과 소통할 수 있는 문자이자 책뿐이라고 생각했다. 이렇게 해서 경복궁은 인류 역사에서 찾아보기 힘든 문자의 기적을 이룬 장소가 되었다.

역사적인 상징성, 중국 연호 '정통 11년'

경복궁이 있는 서울(한성)은 분명 정치적으로 보면 황제의 나라 중국에 사대의 예를 다해야 하는 예속된 지역이었다. 그래서 중요한 책의 간지에 중국 연호를 쓸 수밖에 없었다.

중국 정통 11년(1446, 세종 28) 9월 상순 자헌대부 예조판서 집현전 대제학 지춘추관사 세자우빈객 정인지는 두 손 모아 머리 숙여 삼가 쓰옵니다.

_《훈민정음》 해례본 정인지 서문

《훈민정음》 해례본을 펴낸 날로 기록한 '정통 11년'은 훈민정음 탄생 시기가 가지는 역사적 의미를 적나라하게 보여 주는 상징적 기록이다. '정통'은 명나라의 연호를 뜻하기 때문이다. 사대주의

○ ∧ □

정책 때문에 중국 연호를 사용할 수밖에 없는 국제 정세 속에서 자주적인 문자를 만들었음을 대비적으로 보여 준다.

사방의 풍토가 구별되므로 말소리의 기운 또한 다르다. 대개 중국 이외의 딴 나라 말은 그 말소리에 맞는 글자가 없다. 중국의 글자를 빌려 소통하도록 쓰고 있는데, 이것은 마치 모난 자루를 둥근 구멍에 끼우는 것과 같으니, 어찌 제대로 소통하는 데 막힘이 없겠는가? 요컨대 모든 것은 각각의 처한 곳에 따라 편안하게 할 것이지, 억지로 같게 해서는 안 될 것이다. 우리 동방의 예악과 문장이 중화와 같아 견줄 만하다. 오직 우리말이 중국말과 같지 않다.

_《훈민정음》 해례본 정인지 서문

이와 더불어 새 문자는 한겨레의 역사적 전통 속에서 오랜 문자의 모순을 해결한 것임을 다음과 같이 밝히고 있다.

동방에 나라가 있은 지가 오래되지 않은 바는 아니지만, 무릇 만물의 뜻을 깨달아 모든 일을 이루는 큰 지혜는 훈민정음을 반포하는 오늘을 기다리고 있었음이다.

_《훈민정음》 해례본 정인지 서문

천 년 이상 정치 중심 지역의 말, 서울말

태조 이성계는 즉위한 지 한 달도 안 된 1392년 8월 13일, 한양 천도를 명했다. 그로부터 7일 후 태조가 어린 이방석을 왕세자로 세우자 정치적 분란이 생겼다. 결국 1398년 8월, 제1차 왕자의 난이 일어나 경복궁 건설의 핵심 인물이었던 정도전(1342~1398)이 죽었다. 곧 9월에 태조는 왕자 이방과(훗날 정종)에게 왕위를 물려주고, 정종은 1399년에 다시 한양에서 개성으로 천도했다.

그러나 그다음 해인 1400년 정종은 이방원에게 선위했다. 태종은 1405년 개성에서 한양으로 다시 천도했다. 그로부터 13년 뒤인 1418년 태종은 세자(세종)에게 전위함으로써 한양은 훈민정음 탄생지로서 굳건히 자리 잡게 되었다.

한양(조선시대 수도를 일컫는 정식 명칭은 '한성'이지만 많은 사람들이 '한양'이라고도 불렀다)은 오랜 역사 속에서 정치는 물론 언어적인 면에서도 의미 있는 지역이었다. 그런 만큼 한양의 역사는 언어에도 지대한 영향을 끼쳤다. 이렇게 다방면으로 중요한 도시 한양, 한양 천도가 조선 개국 후 갑자기 이뤄진 것은 아니었다. 거시적으로 보면 이 지역은 기원전 18년에 온조가 위례성에 백제를 건국해 무려 500여 년이나 지배했으니, 매우 비중이 높은 정치적 중심지였던 셈이다.

백제가 이곳을 지배하지 않았을 때도 이 지역을 빼앗기 위해 삼국 간에 쟁탈전이 벌어졌다. 고려시대에는 '남경(서울)'으로 불렸는데 동경(경주), 중경(개성), 서경(평양)과 함께 4경 가운데 하나였다. 그뿐만 아니라 고려 숙종 때 이곳으로의 천도가 논의되었고, 1356년(공민왕 5), 1381년(우왕 7)에도 남경 천도가 직접 고려되었다. 1390년에는 고려 공양왕이 남경에서 머물다가 개성으로 돌아가기도 했다.

언어사로 보면 조선시대부터 한양말(서울말)이 우리말의 중심이었으므로, 서울말은 무려 천 년 이상이나 정치적 중심 지역의 말이었다. 따라서 서울말은 세종의 말소리 연구에 직간접으로 영향을 미쳤을 것이다. 세종은 서울말에서 많은 영감을 받기도 했지만, 서울의 언어적 위상을 드높이기도 했다. 물론 서울말만 중요하게 여기지는 않았다. 전국 8도의 노래를 수집할 정도로 다양한 지역의 말을 수집하고 연구했다. 나아가 세종은 중국말을 비롯해 자연의 모든 소리를 제대로 적기 위해 골몰했고, 마침내 정음 문자를 창제했다.

결국 세종은 서울말이라는 지역적 특수성을 넘어 중국 문자

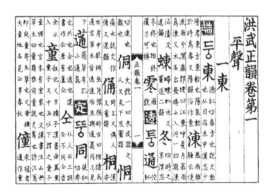

❯《홍무정운역훈》은 중국의《운서》인《홍무정운》을 한글로 풀이한 책이다.

의 모순까지 해결하는 보편적 문자를 창제하며 문화·언어적 쾌거를 이뤄 냈다. 중국은 《운서》를 통해 발음을 적으려고 노력했으나 한자로는 제대로 적을 수 없어 천 년 이상 이 문제를 해결하지 못했다. 《홍무정운역훈》에서 보듯 세종은 중국의 반절법의 모순을 정음 문자를 통해 해결했다. 곧 '東'이라는 한자는 15세기에는 '둥'이라고 읽었는데, '덕德'의 'ㄷ' 발음과 '홍紅'의 '웅' 발음을 합친 발음이라고 중국어의 성모(ㄷ)와 운모(ㅎ)를 활용해 설명으로 그렸다. 그런데 세종은 '둥'이라고 정확하게 적었던 것이다. 가장 과학적이면서도 실용적인 한글의 우수성을 다시금 확인할 수 있는 대목이다.

훈민정음 반포의 산실, 집현전

_ 서울시 종로구 경복궁 수정전의 집현전

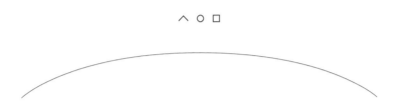

한글이 창제되고 반포된 경복궁 안에서 가장 경관이 수려한 곳은 어디일까? 사람마다 기준이 다르겠지만 대부분 아름다운 연못이 있는 경회루를 꼽는다. 경회루 옆에는 큰 대궐집 같은 건물이 있는데, 이곳이 바로 집현전이 있던 수정전이다. 집현전은 '어진 인재를 모아 놓은 곳'이라는 뜻이고, 수정전은 '몸과 마음을 갈고닦으며 바른 정치를 펴는 곳'이라는 뜻이다.

세종이 훈민정음 창제를 마무리하고 한글을 반포하는 과정에서 경복궁 안에 있는 전각 수정전이 집현전으로 사용되었다. 한글

을 백성들에게 알리기 위해 펴낸《훈민정음》해례본도 이곳에서
제작되었다.

경복궁 안에서 가장 큰 전각은 각종 행사가 열렸던 근정전인
데, 이 건물 내부의 크기보다 더 큰 곳이 집현전이었다. 물론 외부
는 근정전이 훨씬 크지만 내부만 놓고 보면 집현전은 40칸이고, 근
정전은 25칸이었다. 한 칸은 사방 1.8미터에 해당한다. 이렇게 내부
공간이 컸다는 것은 이곳에서 그만큼 많은 인재가 근무했다는 사실
을 뜻한다. 실제로 가장 많을 때는 37명이 근무했다고 한다. 그들이
이곳에서 얼마나 많은 업무를 했을지 쉽게 짐작이 간다. 집현전은
단순한 국책 연구소가 아니라 역사 변혁의 거대한 물줄기였다.

❯ 《훈민정음》해례본
은 새 문자를 알리기
위한 책이므로 그때
사용하던 한문으로
쓰였다.

○ ∧ □

훈민정음 반대와 찬성으로
맞선 집현전 학사들

세종의 한글 창제 사실을 듣고 모든 신하가 한글 반포를 찬성하지는 않았다. 대체로 찬성파와 반대파가 7대 7로 나뉘었다. 대체 그들은 무엇을 두고 맞섰을까? 세종이 한글을 백성들에게 널리 알리고자 해설책인《훈민정음》해례본을 제작할 때 도움을 준 8명 중 7명이 집현전 학사였다. 남은 한 명인 강희안은 왕실 가족을 관리하던 '돈녕부 주부'라는 벼슬이었는데 일종의 파견 근무를 한 셈이다. 그리고 한글 반포에 반대하는 상소를 올린 집현전 학사도 7명이었다.

❯ 한글 반포 찬성파 학사들
정인지, 최항, 박팽년, 신숙주, 성삼문, 이개, 이선로, (강희안)

❯ 한글 반포 반대파 학사들
최만리, 신석조, 김문, 정창손, 하위지, 송처검, 조근

《훈민정음》해례본을 펴낼 당시 세종의 나이는 50세, 정인지의 나이는 51세였다. 가장 연장자였던 정인지는 언어, 음악, 천문 등 여러 분야에 능통해 다른 학사들의 지도자 역할을 했다. 38세인 최항은 학문이 깊고 나이도 다른 젊은이들보다 많아 중간 역할을

했다. 박팽년, 신숙주, 이개, 강희안은 모두 30세, 성삼문은 29세였
다. 이선로는 태어난 해의 기록은 없지만 비슷한 나이였을 것으로
추정된다.

한글 반포는 새로운 것을 온 백성에게 알리는 중차대한 일이
었기에 젊은 학자들 위주로 일을 맡긴 세종의 뜻을 짐작할 수 있다.
특히 나이는 젊지만 여러 외국어에 정통하고 말소리 연구에 밝았
던 신숙주가 큰 역할을 했다.

자칫 최만리를 비롯해 반대 상소를 올린 7명의 신하는 대부분
나이가 많아 새로운 변화를 바라지 않았던 것으로 보통 생각하기
쉽다. 하지만 이는 잘못된 생각이다. 당시 28세였던 조근과 33세
였던 하위지, 38세였던 신석조도 반대 상소에 이름을 올렸다. 이를
통해 원로 보수들만 반대한 것이 아니라 나이에 관계없이 폭넓게
반대했음을 알 수 있다.

집현전의 중심 인물이었던
최만리의 갑자상소문

세종은 1418년에 임금이 되었지만, 상왕 태종이 1422년에 운
명할 때까지 대략 4년 동안 태종의 그림자 역할을 했다. 그러나 세
종은 숨어 있는 그림자가 아니었다. 아버지 태종 이후의 시대를 준
비하는 비상하는 그림자였다. 인재를 양성하고 그 인재들이 자신

O ∧ □

들의 기량을 마음껏 발휘할 수 있는 제도를 정비한 사실을 보면 알수 있다. 즉위한 지 얼마 안 된 1420년 3월 16일, 세종은 집현전을 대대적으로 정비하여 인원수를 정하고 관원을 임명했다.

집현전은 고려 인종 때부터 있었지만 관청도 없고 직무도 없이 오직 문신으로 관직을 주었을 뿐이었다. 세종은 제대로 된 관청을 근정전 가까이에 있는 경회루 옆에 세우게 했다. 그리고 문관 가운데 재주와 행실이 뛰어난 젊은 인재들을 채용해, 오로지 경전 연구와 역사 강론에 힘써 임금의 자문에 대비하는 직속 기구를 세운 것이다.

최만리는 청백리로 이름을 남길 만큼 훌륭한 학자이자 관리였다. 그는 집현전이 처음 생길 때 정7품 박사로 임명되었다. 1419년 과거에 급제한 다음 해의 일이었다. 최만리가 언제 태어났는지 기록이 없어 당시 나이를 알 수 없지만, 20대 젊은이였을 것으로 추정된다. 이로부터 16년 뒤인 1438년에 최만리는 집현전의 실질적 책임자인 부제학으로 임명되었다. 1440년 무렵 강원도 관찰사로 잠시 가 있던 때를 제외하고는 그야말로 집현전에서 잔뼈가 굵은 정통 학자이자 관리였던 셈이다.

집현전이 세종 시대를 상징하는 임금 직속 자문 관청이었다면, 최만리는 집현전을 상징하는 중심 인물이나 다름없었다. 세종은 강원도 관찰사로 가 있던 최만리에게 《신주무원록新註無寃錄》 발문을 쓰게 할 정도로 총애했다.

그런 최만리가 훈민정음 '창제'를 반대했다고 흔히 알고 있다.

그러나 세종은 한글 창제를 비밀리에 추진했으므로, 누군가가 반대했다는 논리 자체가 성립하지 않는다.

세종 재위 당시뿐만 아니라 조선시대 사대부 양반들에게는 한자 외에 새로운 문자를 주체적으로 창제한다는 것은 상상조차 하기 어려운 일이었다. 조선은 사대부들이 세운 나라이며 성리학은 사대부들의 이념이자 조선의 국시였다. 성리학의 이념을 담고 있는 사서삼경은 그야말로 이의를 제기할 수 없는 '경전'이었다. 더욱이 경전을 표기한 한문, 한자는 경전의 가치와 같은 것이었다. 그런 한문과 한자 이외의 문자는 성리학의 정체성에 위배되는 것이었다.

당대의 시대 흐름으로 본다면 새로운 문자를 꿈꾸고 실천한 세종이 아주 특이한 사람이지, 한자를 절대시하는 양반 계층에게 문제가 있는 것은 아니었다. 그래서 한글 반포 뒤에도 양반들은 학문과 행정 도구로는 한글을 사용하지 않았다. 최만리와 다른 모든 양반들의 한글에 대한 기본 입장은 다르지 않았다.

그런데도 마치 최만리가 한글 창제를 반대한 것처럼 알려졌다. 그 이유는 앞서 본 한글 반포 반대파 7인이 창제 두 달 뒤에 올린 갑자상소문에 대한 오해 때문이다. 갑자상소문이 실록에 기록된 것은 1444년 2월 20일이다. 세종이 중국《운서》에 한글 주음(발음)을 달라고 지시한 지 4일 만의 일이었다. 중국 운서는 중국 황제만이 제정할 수 있었는데, 세종은 경전의 문자 표기의 기준을 정하라고 지시했다. 경전을 함부로 고치기는 불가능하고 손을 대는 것도 불경스러운 일인데, 그런《운서》를 임금이 논의 없이 우리의 기준으로 바로잡으려 했으니 집현전이 발칵 뒤집힌 것이다.

　실제 한글을《훈민정음》해례본으로 백성들에게 공식적으로 알린 것은 1446년 9월이다. 이를 감안하면 갑자상소는 창제 이후 반포 전에 올린 상소문이므로, '훈민정음 반포 반대 상소' 또는 폭넓게 '훈민정음 반대 상소'라고 해야 한다.

　신 등이 엎디어 보건대, 언문을 만든 것이 매우 신기하고 기묘하여, 새 문자를 창조하시는 데 지혜를 발휘하신 것은 전에 없이 뛰어난 것입니다. 그러나 신 등의 좁은 소견으로 볼 때 오히려 의심되

❯ 〈집현전 학사도〉는 학사들이 서적 편찬과 연구에 열중하는 모습을 담고 있다.

★ 세종대왕기념사업회 소장

는 것이 있기에 아주 간절한 마음으로 삼가 아래와 같이 글을 올리
니 전하께서는 직접 검토하여 주시옵기를 바랍니다.

_갑자상소문

새 문자가 한자를 대체할 경우 생기는
문제 제기였을 뿐이다

갑자상소문은 분명 훈민정음이 매우 뛰어난 문자라는 것을 인
정하고 있다. 상소문 앞부분에서 "신 등이 엎디어 보건대, 언문을
만든 것이 매우 신기하고 기묘하여, 새 문자를 창조하시는 데 지혜
를 발휘하신 것은 전에 없이 뛰어난 것입니다臣等伏覩諺文制作, 至爲神妙,
創物運智, 复出千古"라고 시작하고 있기 때문이다.

다만, 새 문자가 한자를 대체할 경우 생기는 정치적 문제, 성리
학을 국시로 하는 학문론 등에 대한 문제 제기를 한 것이다. 그 당
시 사대부들의 보편적 입장을 대변한 것뿐이므로 현대의 시각으로
반대 상소를 정치적으로 재단해서는 안 된다. 다음 인물들의 공통
점을 안다면 최만리 외 갑자상소의 시대적 의미를 더 정확히 읽을
수 있다.

정인지, 최항, 박팽년, 신숙주, 성삼문, 이개, 이선로, 강희안
박제가(1750~1815), 박지원(1737~1805), 정약용(1762~1836)

○ ∧ □

이 인물들은 모두 사적으로나 공적으로나 한글을 사용하지 않았다. 윗줄의 정인지에서 강희안은 세종을 도와《훈민정음》해례본 집필에 참여한 8학사이다.《훈민정음》해례본 집필자들조차 실제 일상생활이나 학문 활동에서 한글을 사용하지 않은 것이다.

아랫줄의 박제가, 박지원, 정약용은 조선 최고의 실학자들이다. 이들은 한글 반포로부터 300년쯤 후에 활동하던 사람들이다. 18~19세기에 이르러서도 양반과 지식층은 한글이 아닌 한문으로 저술을 남겼다.

我國地近中華, 音聲略同, 擧國人而盡棄本話, 無不可之理, 夫然後, 夷之一字可免.

우리나라는 중국과 가깝게 접경하고 있고 글자의 소리가 중국의 그것과 대략 같다. 그러므로 온 나라 사람이 본래 사용하는 말을 버린다고 해도 불가할 이치는 없다. 이렇게 본래 사용하는 말을 버린 다음에야 (東夷의) 오랑캐라는 모욕적인 글자로 불리는 신세를 면할 수가 있다.

_박제가, 안대희 옮김(2003),
《북학의 – 조선의 근대를 꿈꾼 사상가 박제가의 개혁 개방론》, 돌베개

진보적이고 혁신적인 북학의 씨를 뿌린 박제가가 쓴 위의 글

을 보면, 창제된 지 300년 후에도 한글이 얼마나 외면당했는지를 알 수 있다. 이른바 대표적인 실학자들도 한문을 절대 도구로 삼은 것이다. 그리고 보면 15세기 훈민정음 반포 전의 반대 상소는 극히 미미한 문제 제기라고 볼 수 있다.

이렇게 조선시대 내내 사대부들은 한글을 학문 도구로, 공식 문자 도구로 인정하지 않았다. 1894년 고종이 국문을 주류 문자로 선언했지만, 1910년 경술국치 때까지 그 꿈은 이뤄지지 않았다. 그런 상태에서 우리말글의 주권조차 빼앗기는 처지가 되었다.

사실 세종 시대는 새 왕조 문물의 기틀이 완성되는 시기였다. 나라의 국시라고 할 수 있는 공맹 사상을 새롭게 정립한 성리학과 중국, 한문은 동궤를 이룰 수밖에 없었다. 이러한 동궤를 철저히 따라야 하는 '사대'는 국제 정치의 논리이자 생존의 논리였다. 세종도 정치적으로는 국제 질서에 부합하는 정치를 폈다.

그렇기에 갑자상소문에서는 이러한 시대 논리에 의거해 언문을 성리학에 방해되는 문자, 소중화小中華(중국 외의 국가에서 스스로 '중화'를 자처하는 사상)를 위반하는 문자로 보았던 것이다. 더욱이 창제 직후에 중국의 운서에 언문으로 발음을 적으라는 세종의 명령은 새 문자로 한자를 대체하려는 의도라고 오해할 수밖에 없는 상황이었다. 다음 갑자상소문의 핵심 구절은 바로 이런 논리를 정확히 표현하고 있다.

언문이 비록 유익하다고 말하지만 문학하는 선비들의 여섯 가지 재주의 하나에 불과할 뿐입니다. 하물며 만에 하나도 정치하는 도리에 유익함이 없는 데다, 정신을 연마하는 데 사색을 허비하며 날짜만 보내는 것은 참으로 시대에 적절한 학문에 손실을 끼칠 뿐이옵니다.

우리 조선은 조상 때부터 내려오면서 지성스럽게 대국을 섬기어 한결같이 중화의 제도를 따랐습니다. 이제 문자(한문)도 같고 법과 제도도 같은 시기에 언문을 창제하신 것은 보고 듣기에 놀라움이 있습니다. ……(중략)…… 만일 이 사실이 중국에라도 흘러 들어가서 혹시라도 비난하여 말하는 자가 있사오면 어찌 대국을 섬기고 중화를 사모하는 데 부끄러움이 없사오리까.

_갑자상소문

세종은 갑자상소문의 주장에 세밀하게 반박했지만 정치와 학문 논리에 대해서는 이의를 제기하지 않았다. 당시 보편적 국제 질서와 양반들의 시대 인식에 굳이 반대할 필요는 없었을 것이다.

조선은 갑자상소문의 내용대로 한글을 학문 연구에는 사용하지 않고, 문학 등의 비학문 분야에서 발전시켜 나갔다. 세종은 국한문 혼용체의 《용비어천가》와 불경 언해서(《석보상절》, 《월인천강지곡》)를 먼저 펴냄으로써 사대부들의 새 문자에 대한 불안을 해소시켜 주었다. 그래서인지 갑자상소문을 올린 주역들은 그 후로 어떠한 반대 상소도 올리지 않았다. 최만리는 뛰어난 정치가이자 관리였다. 백성을 위한 민본주의 이념은 매한가지였지만 문자관이 달랐을 뿐이다.

군규쾌업君虯快業,

임금과 왕세자가 함께한 즐거운 과업

세종은 어렸을 때부터 독서를 좋아하여 늘 책을 끼고 살았다. 스물두 살에 임금이 된 세종은 백성들을 계몽해 여러 중요한 지식과 정보를 알려 주고 싶어 했다. 그러나 양반들조차 20년은 배워야 제대로 구사할 수 있는 한자로 된 책들뿐이라 거의 불가능에 가까운 일이었다.

한글 창제 9년 전인 1434년에는 예절과 충효를 다룬 《삼강행실》이라는 책에 이해를 돕도록 각 편마다 그림을 넣은 《삼강행실도》를 펴냈다. 그렇지만 본문이 한자라는 사실은 변함이 없었기에 세종의 뜻을 이룰 수는 없었다. 또 한자를 모르는 이들은 재판이나 여러 행정 절차에서 억울한 경우를 당하는 일이 빈번했다. 이런 일들을 가엾게 여긴 세종은 서당에 가지 않아도 누구나 쉽게 배울 수 있는 문자를 만들기로 결심했다.

1443년 12월 어느 추운 겨울날, 세종은 이런 결심을 집현전 학사들에게 처음 알렸다. 이때 세종이 중국의 뜻글자와는 전혀 다른,

모든 소리를 적을 수 있는 새로운 소리 문자를 만든 취지와 배경을 간단하게 설명하고, 28자를 어떻게 쓰고 발음하는지를 알렸을 것이다. 이 문자는 소리와 뜻을 함께 품으려는 조상들의 꿈을 이루고자 천지인 삼재와 음양오행의 우주 흐름을 모두 담았고 28자만으로 조합이 가능했다. 이처럼 간단하면서 요점을 잘 드러내고 섬세한 뜻을 담으면서 두루 통할 수 있는 문자였다. 이 문자를 '백성을 가르치는 바른 소리'라는 뜻으로 '훈민정음'이라 부르겠다는 말로 마무리했을 것이다.

세종이 1446년에 펴낸《훈민정음》해례본(한문본)에는 겉으로 서술한 내용 외에 드러나지 않은 역사적 진실이 숨어 있다. 그중에서도 세종이 직접 저술한 '정음편'에는 훈민정음 보급(반포)이 세종이도와 문종 이향이 함께한 즐거운 사업이라는 내용이 눈에 띈다. 이는 전문가들조차 잘 모르는 이야기이다.

세종은 자신이 직접 저술한 정음편에서 기본 28자와 된소리 글자 6자를 합친 34자를 한자를 보기로 들며 설명하고 있다. 어금닛소리(여린입천장소리) 자음만 원문과 번역문을 함께 보자.

ㄱ. 牙音. 如君군字初發聲. 並書. 如虯뀨字初發聲

ㄱ[기]는 어금닛소리(아음)자이니, '군君' 자의 처음 나는 소리(초성)와 같다. 나란히 쓰면 '뀨虯' 자의 처음 나는 소리와 같다.

_정음 1ㄱ:7-1ㄴ:1, 어제예의

ㅋ. 牙音. 如快쾌字初發聲

ㅋ[키]는 어금닛소리자이니, '쾌快' 자의 처음 나는 소리와
같다.

_정음1ㄴ:2, 어제예의

ㆁ. 牙音. 如業업字初發聲

ㆁ[이]는 어금닛소리자이니, '업業' 자의 처음 나는 소리와
같다.

_정음1ㄴ:3, 어제예의

여기서 어금닛소리를 설명하고자 보기를 든 '군ㄲ斗쾌업君虯快業'
이 바로 '임금君과 왕세자虯가 함께 이룩한 즐거운快 과업業'이라는
뜻이다. '虯'는 '새끼용 ㄲ(규)'로 새끼용은 왕세자인 문종 이향을 가
리킨다. 훈민정음(언문)은 반포하기까지 세종과 왕세자가 함께했
지만 앞으로도 대를 이어 가야 하고, 만백성을 즐겁게 할 사업이라
는 의미를 내포한 것이다. 이런 의미는 세종이 의도적으로 부여했
다고 봐야 한다. 창제 전이나 창제 후 모든 과정에서 왕세자가 직간
접으로 부왕을 도우며 왕세자가 이어 가야 할 즐거운 국가 대업으
로 자리매김한 것이다.

훈민정음 창제 과정은 비밀이었지만, 세종이 왕세자한테까지
비밀로 했다고 보기는 어렵다. 최만리 등이 올린 상소문에서 언문
같은 하찮은 사업에 왜 왕세자까지 끌어들이느냐고 비판한 것만

갈래	전청 (예사소리)	전탁 (된소리)	차청 (거센소리)	불청불탁 (울림소리)
아음(어금닛소리)	ㄱ(君, 군)	<ㄲ>(虯, 뀨)	ㅋ(快, 쾌)	ㆁ(業, 업)
설음(혓소리)	ㄷ(斗, 두)	<ㄸ>(覃, 땀)	ㅌ(吞, 튼)	ㄴ(那, 나)
순음(입술소리)	ㅂ(彆, 볃)	<ㅃ>(步, 뽀)	ㅍ(漂, 표)	ㅁ(彌, 미)
치음(잇소리)	ㅈ(卽, 즉) ㅅ(戌, 슏)	<ㅉ>(慈, 짜) <ㅆ>(邪, 쌰)	ㅊ(侵, 침)	
후음(목구멍소리)	ㆆ(挹, 읍)	<ㆅ>(洪, 뽕)	ㅎ(虛, 허)	ㅇ(欲, 욕)
반설음(반혓소리)				ㄹ(閭, 려)
반치음(반잇소리)				ㅿ(穰, 샹)

보아도 충분히 알 수 있다. 더욱이 문종은 1421년(세종 3)에 8세라는 어린 나이에 왕세자로 책봉되었으니, 무려 30년 가까이 세종을 보필한 것이다.

　세종은 건강상의 이유로 왕세자에게 행정 처리의 전권을 넘기려 했다. 그때는 훈민정음 창제 9년 전인 1436년(세종 18)으로, 그때 왕세자의 나이는 23세였다. 건강상의 이유도 있었겠지만, 훈민정음 창제를 위한 연구에 몰두하려는 목적도 있지 않았을까. 당시 신하들의 반대로 정식 권력 이양을 하지는 못했지만, 실제로 왕세자는 세종을 여러모로 도왔다.

창제 1년 전인 1442년에는 세자가 섭정하는 데 필요한 기관인 첨사원詹事院을 설치했고 첨사·동첨사 등의 관원을 두었다. 마침내 '수조당受朝堂'을 짓고 세자의 섭정에 필요한 체제를 마련했다. 이런 우여곡절을 거쳐 반포 1년 전인 1445년부터는 세자가 나라를 다스리게 되었고, 이는 세종이 승하할 때까지 계속되었다.

문종은 병마로 임기가 2년 3개월 정도로 짧았지만, 훈민정음 보급을 이어 갔으니 해례본의 자모 규정에서 보여 준 자모 대표자 '군뀨쾌업'은 진실이었던 것이다.

집현전의 역사는 오래가지 않았다

앞에서 말했듯, 새 문자 소식을 들은 집현전 학사들은 모일 때마다 격한 논쟁을 벌였다. 세종 역시 반대 의견이 만만치 않으리라 예상했기에 이를 비밀리에 연구하여 모두 만든 뒤에 알린 것이다.

세종은 찬성하는 학사 7명과 강희안에게 우선 새 문자 해설집인 해례본을 만들라고 명했지만, 반대하는 신하들을 설득하고 일반 양반들에게 새 문자를 만든 뜻을 알려야 하는 숙제가 여전히 남아 있었다. 훈민정음을 반대하는 신하들은 반포에 대한 반대 상소를 올리며 세 가지 근거를 들었다.

첫째, 훈민정음은 중국을 받들고 사는 처지에 어긋나고, 새 문자를 만들어 쓰는 것은 오랑캐 같은 짓이라는 것이다. 자칫 중국의

심기를 거스를 수 있는 일이었다.

둘째, 훈민정음은 배우고 깨우치는 학문의 도구가 되지 못하고 오히려 방해만 된다는 것이다. 《논어》, 《맹자》 등 학문에 필요한 책들이 한문으로만 되어 있어 그런 걱정을 했는지도 모른다.

셋째, 글을 몰라 억울한 죄인이 생기는 이유는 죄인을 다루는 관리가 공평하지 못해서이지 백성들이 문자를 몰라서가 아니라는 것이다.

하지만 이들은 문자가 쉬우면 백성들이 더욱 많은 책을 읽고 학문을 쉽게 접할 수 있다는 점을 놓쳤다. 또 새 문자를 만든다고 해서 한자를 거부한다는 뜻이 아닌데 이를 착각한 것이다. 관리만 글을 알아도 된다는 주장은 죄인이 읽을 수 있느냐 없느냐도 중요하다는 사실을 가볍게 여겨 오류를 범한 것이다.

다행히 세종의 설득으로 이러한 반대 상소는 한 건에 그쳤고, 우여곡절 끝에 해설서 《훈민정음》 해례본이 1446년 음력 9월에 완성되어 새 문자를 온 백성에게 알렸다. 책을 좋아하는 임금답게 새 문자를 왜 만들었는지, 어떻게 발음하고 쓰는지, 얼마나 좋은 글자인지를 자세하게 설명한 책을 펴낸 것이다.

이렇듯 한글 반포에 큰 역할을 한 집현전은 대체 어떤 기관일까? 집현전은 고려 인종 때인 1136년부터 존재한 학문 연구 기관이었지만 실질적으로 제 기능을 한 것은 세종 때부터이다. 앞에서도 설명했지만, 1420년(세종 2)에 집현전을 새로 정비하고 인재를 양성하기 시작했다. '집현전'이라는 이름 자체가 '인재를 모아 놓은 곳', '어진 이를 모아 놓은 곳'이라는 뜻이다.

　하지만 집현전의 역사는 오래가지 않았다. 세종과 문종이 죽은 후 단종을 폐위하고 왕위에 오른 세조는 집현전 학사 중에 자신을 반대하는 사람이 많다는 것을 알았다. 그래서 1456년(세조 2) 음력 6월, 집현전을 없애고 그 역할을 예문관으로 이관했다.

　비록 집현전이 빛났던 역사는 짧았을지언정 이곳에서 펴낸 《훈민정음》해례본은 집현전이 얼마나 중요하고 위대한 일을 했는지 보여 주고 있다. 한글은 세종대왕이 만들었지만, 그 연구와 보급에 힘쓴 집현전 학사들이 있었기에 우리가 날마다 자유롭게 말하듯이 글을 쓸 수 있게 된 것이다.

훈민정음 인재 양성소,
사가독서 전당

_ 서울시 은평구 진관사 한글길

ᄉ ○ ㅁ

1442년에 세종은 전 세계 역사상 전무후무한 사가독서제를 실시한다. 흔히 대학에서 대학교수들에게 7년마다 부여하는 안식년 연구 제도를 15세기에 단행한 것이다. 사가독서는 북한산 자락에 있는 진관사에서 이루어졌다. 경복궁에서 걸어서 한 시간 남짓, 북한산의 기상을 그대로 품고 그야말로 산 좋고 물 좋은 사찰이 진관사였다. 이곳에서 과거에 급제한 지 얼마 안 된 20대 중후반의 옹골찬 기상이 넘치는 청년들, 즉 박팽년, 신숙주, 이개, 성삼문, 하위지, 이석형 등 6명의 학자에게 집중적으로 연구하게 했다. 이들은 세종의 총애를 입어 진관사에서 약 2년 동안 마음껏 독서를 하고 토론을 하는 등 기개를 펼쳤다.

놀랍게도 이 중 박팽년, 이개, 성삼문, 신숙주는 《훈민정음》 해례본 저술에 큰 공로를 남겼으니 사가독서 정책은 성공한 셈이다. 1442년은 훈민정음 반포 1년 전이었으므로 세종은 할 일이 많았을 것이다. 따라서 이들은 훈민정음 창제가 아무리 비밀 과업이라 해도 간접적으로나마 세종을 도왔을 확률이 높다. 그래서 진관사에서는 한글 비밀 연구 공간을 기념해 그 의미를 기리고 있다. 2021년에는 진관동 주민 자치회와 함께 사찰에 한글길을 조성했다.

❯ 세종 시대 북한산 자락에 있는 진관사에서 사가독서가 이루어졌다. 2021년 진관동 주민 자치회와 함께 사찰에 한글길을 조성했다.

사가독서제, 인재 양성의 빛이 되다

사가독서제는 세종이 집현전 인재들에게 더 많은 자기계발과 연구 기회를 주기 위해 도입한 것으로, 나라에서 봉급을 주고 집이나 사찰 같은 곳에서 독서와 연구를 하게 한 제도이다. 진관사는 집현전 선비들의 사가독서 중심지였다.

1476년(성종 7) 어느 날, 경연에서 서거정이 사가독서제를 회고한 내용이다. "신도 세종조에 역시 신숙주 등과 함께 산사山寺에서 사가독서하도록 명을 받았었습니다." 이 정도로 세종 재임 시의 사가독서는 대대로 회자되었다. 《브루스 커밍스의 한국현대사》로 유명한 브루스 커밍스는 15세기 세종 시대를 다음과 같이 평가하고 있다.

15세기는 성리학적 개혁가들이 거의 독주하다시피 한 시대였을 뿐 아니라 더해서 한국의 전근대의 정점으로 기록된 시기이기도 했다. 하나의 국가로서, 하나의 문화로서 한국은 신대륙을 아직 발견하지 못한 유럽보다 훨씬 앞서 있었다.

유럽은 경제적으로 기술적으로 정체되어 있었던 반면, 한국은 구텐베르크의 유명한 성서보다 한참 전에 활자 인쇄를 보유하고 있었다. 한국의 과학자들은 1442년, 그러니까 유럽에서 비슷한 도구가 만들어지기 200년 전에 강우량을 측정하는 기계를 발명함으로써 농업경제학에서 중요한 진보를 이루었다. 한국의 수학자들은 유럽인들보다 몇 세기 앞서서 부수負數와 다차 방정식 같은 개념을 사용할 만큼 선진적이었다.

_브루스 커밍스,《브루스 커밍스의 한국현대사》

이런 시대가 가능했던 바탕에는 세종의 인재 양성이 있었고, 그 중심에 집현전과 사가독서제가 있었다. 인재를 발굴하는 데 그치지 않고, 인재가 제대로 역량을 발휘하게 하려는 세종의 치밀한 전략에서 비롯된 제도였다.

집현전 학사들과 진관사, 사가독서

세종이 시행한 사가독서에는 당연히 집현전 학사들이 주로 선발되었다. '사가독서'라는 말이 '휴가를 주어 책을 읽게 하다'라는 뜻이기도 해서, 일종의 유급 휴가처럼 보이지만 휴가는 아니었다. 오히려 재택근무에 가까웠다. 이 제도는 1420년(세종 2) 3월에 처음 시행되었다고 하는데 실록에는 관련 기록이 없다. 다음의 기록으로 보아 1426년(세종 8)부터 본격화된 듯싶다.

집현전 부교리 권채와 저작랑 신석견, 정자 남수문 등을 불러 명하기를, "내가 너희들에게 집현관을 제수한 것은 나이가 젊고 장래가 있으므로 다만 글을 읽혀서 실제 효과가 있게 하고자 함이었다. 그러나 각각 직무로 인하여 아침저녁으로 독서에 전심할 겨를이 없으니, 지금부터는 본전에 출근하지 말고 집에서 전심으로 글을 읽어 성과를 나타내어 내 뜻에 맞게 하고, 글 읽는 규범에 대해서는 변계량卞季良의 지도를 받도록 하라"라고 하였다.

_《세종실록》1426년(세종 8) 12월 11일

집현전 학사들이 각자 직무를 맡고 있어 독서에 힘을 쏟을 겨를이 없으니, 독서와 연구에 전념할 수 있도록 한 것이다. 본전에 나오지 말고 집에서 전심으로 글을 읽고 성과를 내어 세종의 뜻을 받들라는 취지였다. 일종의 '독서연구제'로 최소 1~3년에 이르는 사가독서 기간을 주어 집이나 고요한 산사에서 자유롭게 책을 읽고, 석 달 혹은 한 달에 한 번 읽은 내용을 정리해 보고하고 학문에 전념하게 했다. 임금은 독서에 필요한 비용과 용품을 내려 격려했고, 혜택을 받는 인재들이 책을 읽던 건물을 '호당'이라고 했다.

처음에는 각자 자택에서 독서를 했으나 독서에 전념하기가 어렵다 하여 1442년부터는 진관사에서 독서를 하게 했다. 사가독서의 의미는 훈민정음 창제와 보급의 전반적인 역사 속에서 찾을 필요가 있다.

훈민정음 창제 전으로 보면, 이미 1426년부터 한자가 어렵다며 문자에 대한 고민을 시작했다. 또한 창제 이후 반포 전에는 박팽년, 신숙주 등의 사가독서 인재들을 활용했고, 신숙주와 성삼문을 반포 1년 전인 1445년에 중국 요동반도에 파견했다. 반포 이후에도 사가독서 인재들을 중용해 훈민정음 보급 사업을 전개했다.

진관사 안내지에는 이곳이 조선시대에 한글 창제를 위해 사용된 비밀 연구소인 독서당이 있었던 곳이라고 쓰여 있다. '비밀 연구소'라 한 이유가 있다. 사가독서에 참여한 중심 인재들이 한글 반포를 위한 해설서인 《훈민정음》 해례본 저술과 관련해 서책 연구와 저술에 참여했고, 창제 1년 전에 이곳 진관사에서 사가독서를 했기 때문이다.

진관사 주민 위원회는 서울시에 진관사 사가독서 기념관을 짓자고 건의하고 있다. 그런데 서울시나 국가에서는 '진관사 사가독서'가 이뤄진 건물의 실체를 알 수 없어 진관사 독서당의 복원이나 재현이 어렵다고 한다. '진관사 사가독서 새김돌' 정도는 가능하다고 하지만, 이는 사가독서제의 가치를 지나치게 가볍게 본 것이라는 생각이 든다.

민족문화의 융성이 일어나고 한류의 정점에 있는 한글의 세계화가 퍼지고 있는 이 시대에 세종대왕의 한글 창제 업적과 인재 양성 정책, 그리고 진관사에서 사가독서했던 젊은 선비들의 충심과 절의를 '함께' 추억하고 기념할 수 있는 '기념관'은 반드시 필요합니다.

성종 때의 학자 조위는 《독서당기》에서 학문의 자세에 대한 거센 질타를 했다. "아! 학문의 공은 변화하는 것을 귀하게 여긴다.

❶ 세심교, 사가독서 선비들이 마음을 씻던 곳이 아니었을까?

❷ 진관사, 기둥마다 한글 주련으로 바꾸면 좋을 것이다.

오늘 한 문장을 읽고도 그대로 그 사람이고 내일 한 문장을 읽고도 역시 그대로 그 사람이라면 읽은 것이 아무리 많다 하더라도 무엇을 하겠는가!"

사가독서 인재들이 개혁의 선봉에 나선 것은 바로 독서의 힘, 문장의 힘이 아니었을까? 신숙주가 진관사에서 사가독서를 하며 지은 시문에서도 그런 기개를 읽을 수 있다.

경전을 익히려 산사를 찾았더니, 하늘의 도움으로 정신이 편안하네.
아침저녁 푸른 산빛 바라보고, 앉거나 서거나 자전字典을 찾는다네.
시 짓는 일이 비록 좋지만, 학술이 거칠어지지 않겠나.
산신령께 비노니, 우리 폐부를 넓게 해 주소서.
원대한 포부를 기양하노니, 이 몸이 나라를 보필할 수 있게 해 주오.

_이종묵(2011), '사가독서제: 문관들에게 휴가를 주어, 책을 읽게 하다',
《인문정책포럼》봄호

이때 선비들의 공부는 주로 한문 경전을 외우고 해석하고 음미하는 것이었다. 덕분에 선비들은 우리가 중고등학교 때 영어 사전을 끼고 산 것 이상으로 한자 자전을 끼고 살았다. 자전(운서)은 단지 한자를 익히고 한문을 해석하는 데만 필요한 것이 아니었다. 한시는 특정 한자를 발음에 따라 지어야 했는데, 시를 짓지 못하면 양반 구실을 못했으니 자전은 양반 신분을 유지하는 핵심이기도

○ ∧ □

했다.

중국에서나 조선에서나 시를 짓고 읊는 능력은 문학 취향을 넘어 입신출세를 위한 수단이었다. 시를 잘 지으려면 반드시 운을 정확히 맞추어야 했다. 어떤 글자가 운자로 쓰일 수 있으며, 어떤 운끼리 서로 통해서 쓸 수 있는지 알아야 했다. 같은 운에 속하는 글자끼리 한데 모아 만든 《운서》는 시 창작 사전이기도 했다.

《운서》는 기본적으로 한자의 소릿값을 반절反切로 표시한다. 이를테면 '東'을 '德紅切(/ㄷ/ + /ㅗㅇ/)'이라고 표시하는 것이다. 여기서 德을 '반절상자反切上字', 紅을 '반절하자反切下字'라고 부른다. 반절

❶ 진관사 안내문에는 세종이 사가독서당을 이곳에 두고 집현전 학사들을 보내 한글을 비밀리에 연구토록 했다는 내용이 적혀 있다.

❷ 《한글 새소식》 표지에 실린 은평구 진관사 한글길. 진관사에서는 한글 비밀 연구 공간을 기념해 그 의미를 기리고 있다.

상자가 가리키는 소리를 '성모聲母', 반절하자가 가리키는 소리를 '운모韻母'라 하고, 두 한자의 성모가 같은 것을 '쌍성雙聲'이라 하며, 운모가 같은 것을 '첩운疊韻'이라고 한다.

신숙주가 진관사 시절을 추억하는 시도 남아 있다. 신숙주는 1443년에 일본으로 가는 통신사 서장관으로 임명되었다. 이때 일본에서 쓴 〈산거〉에 부치는 칠언시가 사가독서를 하던 때의 정경을 떠올리며 쓴 시이다. 고향을 그리워하는 마음이 느껴진다.

반 해 동안의 해외 유람에 싫증이 나서
고향의 가을 산으로 돌아갈 마음뿐이네
산골에 옛 벗들 방에 청등 밝혀 놓고
한담하면서 해외에 나간 나를 가련히 여기리라.

훈민정음 중국어 학습서《직해동자습》 책임자, 화의군 이영

진관사에서 가까운 곳에 세종의 서자 화의군 이영의 무덤이 있다. 화의군 이영은 훈민정음 중국어 학습서인《직해동자습直解童子習》의 책임자이다. 성삼문이 쓴《직해동자습》서문에는 훈민정음을 익히면 외국어도 더 빨리 배울 수 있다는 내용이 나온다.

○ ∧ □

❶ 세종의 서자로 중국어 학습서인《직해동자습》의 책임자였던 화의군의 무덤이다.

❷ 고전번역원은 한국 고전 번역 사업을 맡은 교육부 산하 기관이다.

배우는 자가 먼저 훈민정음 몇 글자만 배우고 나서 이 책《직해동자습》을 보면, 열흘 정도면 중국말도 터득할 수 있고 중국 성운학도 훤히 알 수 있다.

아쉽게도《직해동자습》은 남아 있지 않고 서문만 전해지고 있다. 실제로 훈민정음은 외국어 학습에 결정적인 도움을 주었다. 모든 외국어를 자유자재로 적을 수 있어 일본말로 된《왜어유해》, 몽골말로 된《노걸대언해》등의 서책에 다양한 외국어 발음을 바르고 쉽게 적을 수 있었다. 그래서 통역사를 양성하는 사역원이 활기를 띠었다고 한다. 진관사 사가독서 인재들이 참여해 펴낸 문헌들은 다음과 같다.

❯ 《훈민정음》 해례본(1443~1446)

신숙주, 성삼문, 최항, 박팽년, 이선로, 이개, 강희안, 정인지

❯ 《운회》 언문으로 번역하기(1444)

신숙주, 최항, 박팽년, 이선로, 이개, 강희안

❯ 《용비어천가》(1447)

신숙주, 성삼문, 최항, 박팽년, 이선로, 이개, 강희안, 정인지, 권제, 안지, 신영손

❯ 《동국정운》(1448)

신숙주, 성삼문, 최항, 박팽년, 이선(현)로, 이개, 강희안, 조변안, 김증

❯ 《홍무정운역훈》(1455)

신숙주, 성삼문, 조변안, 김증, 손수산

❯ 《직해동자습역훈평화》

신숙주, 성삼문, 조변안, 김증, 손수산, 김하, 이변, 감장(감독)

○ ∧ ▢

훈민정음 창제 마무리와
보급을 위한 야외 연구소

_ 충청북도 보은군 초정행궁

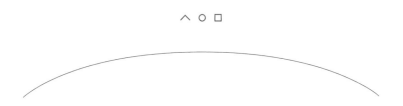

최만리 등 7인이 올린 훈민정음 반포 반대 상소문(1444. 2. 20)
에는 놀라운 기록이 있다. 창제 직후 세종의 행적이다. 좀처럼 찾기
힘든 소중한 기록이다. 세종은 1443년 12월에 창제 사실을 알린 후
어떤 일을 했을까? 당연히 훈민정음을 하루빨리 보급하려고 온 힘
을 쏟았다. 상소문의 기록을 보자.

이제 넓게 여러 사람의 의논을 들어 보지도 않고 갑자기 10여

명의 서리들에게 가르쳐 익히게 하며 또 옛날 사람들이 이미 만들어 놓은 《운서》를 경솔하게 고치고, 언문을 억지로 갖다 붙이고, 기능공 수십 명을 모아 판각을 새겨 급하게 널리 반포하려 하시니, 이 세상 후대 사람들의 공정한 의논으로 보아 어떻겠습니까?

_갑자상소문

굳이 설명하지 않아도 하급 관리들을 통해 백성들한테 빨리 알리고 보급하려고 서두르는 모습이 눈에 선하다.

세종이 한글을 완성한 곳이자
보급을 위한 최초의 교육을 시행한 초정행궁

위의 기록 바로 다음에 초정리에 관한 기록이 나온다. 내용인즉, 나라의 중요한 일을 의정부에 맡기고 건강도 돌보지 않고 왜 임시 처소(초정행궁)에 가서까지 언문 마무리 작업을 하느냐는 것이다.

또한 이번 청주 약수터로 행차하시는데 흉년인 것을 특별히 염려하시어 호종하는 모든 일을 힘써 간략하게 하셨으므로 전일에 비교하오면 10에 8, 9는 줄어들었습니다.

○ ∧ □

그런데 전하께 보고해야 할 업무까지도 의정부에 맡기시면서, 언문 같은 것은 나라에서 꼭 제 기한 안에 시급하게 마쳐야 할 일도 아니온데, 어찌 이것만은 임시 처소에서 서둘러 만듦으로써 전하의 몸조리에 번거롭게 하시나이까. 신 등은 그 옳음을 더욱 알지 못하겠나이다.

_갑자상소문

세종이 한글 보급을 얼마나 중요하게 여겼는지 580년이 되어가는 지금까지도 절절하게 느껴진다. 또한 다음 기록을 보면 왕세자까지 대동하고 가서 훈민정음 작업을 했다는 것이니, 세종이 언문 마무리와 보급을 위해 얼마나 고심하고 힘썼는지 알 수 있다.

이제 왕세자가 비록 덕성이 성취되셨다 할지라도 아직은 성인의 학문에 마음을 붙여 채 도달하지 못한 데까지 더욱 파고들어야 할 것이옵니다.

세종의 초수리(초정리) 행차는 훈민정음 창제 마무리와 보급을 위한 것인데, 왜 하필 임시 처소에서였을까? 아마 본궁에서 잡다하게 시달려야 하는 각종 일에서 벗어나 뭔가에 집중하려는 의도가 분명해 보인다. 청주시는 이런 역사 맥락을 살려 초정행궁을 복원하고 관광지로 조성했다.

❶ 초정행궁 안에 설치된 기록화이다.

❷❸ 초정행궁 안에서는 훈민정음 해례본 글꼴로 만든 다채로운 불빛 등을 볼 수 있다.

그런데 1444년 무렵에 초수리에 간 첫 번째 목적은 건강이 아니었다는 점에 주목해야 한다. 세종의 건강이 더 악화되었을 때 신하들은 울면서 초수리에 가서 요양하기를 간청했지만, 세종은 효험이 없고 백성들이 힘들어한다는 이유로 단호하게 거절했기 때문이다.

세종은 반대 상소 이후에도 초수리에 121일간이나 머물렀는데, 이는 훈민정음을 완성하기 위한 연구와 실험을 집중적으로 했

○ ∧ □

기 때문으로 보인다. 좀 더 구체적으로 보면 훈민정음 창제는 마무리한 뒤이므로, 훈민정음 보급과《훈민정음》해례본 저술 연구를 집중적으로 했을 것이다. 1444년의 세종의 초수리 행차 기간을 살펴보면 다음과 같다. 왕의 행차치고는 꽤 오랜 기간을 머물렀다는 걸 알 수 있다. 그저 단순한 행차가 아님이 분명하다.

❷ **1차 행차**

행차 기간: 68일(2.29~5.7)

초수리에 머문 기간: 60일(3.2~5.2)

❷ 초정행궁은 역사적으로 세종이 한글을
완성한 곳이자 보급을 위한 최초의 교육
을 시행한 곳이다.

❯ 2차 행차

행차 기간: 68일(윤 7.15~9.26), 1, 2차 총 136일

초수리에 머문 기간: 61일(윤 7.18~9.21), 1, 2차 모두 121일

_이익주·박현모 외(2010),
《세종시대 도성 공간구조에 관한 학술연구》, 서울특별시

초정행궁은 역사적으로 세종이 한글을 완성한 곳이자 보급을 위한 최초의 교육을 시행한 곳이다. 세종이 한글 창제를 완성하고 최초로 보급에 나선 곳인 정체성을 살려 '한글에 대한 교양의 습득과 체험, 보급'이 이루어지는 명실상부한 한글 교양 교육 전당으로 만들어야 할 것이다.

초정리 약수터에 세운 목욕탕의 글귀가 치열했던 세종의 발자취를 강하게 속삭여 준다. 머문 기간은 기준이나 관점에 따라 조금씩 다를 수 있다.

대왕께서 친히 이곳 초정에 행차하여 117일 동안 머무르시며 당뇨와 피부병 등을 치료하셨다.

○ ∧ □

훈민정음
희방사본을 찾아서

_ 경상북도 영주시 희방사

ㅅ ㅇ ㅁ

1568년(선조 1), 경상북도 산골 깊숙이 자리 잡은 희방사에서 《훈민정음》 언해본이 다시 간행됐다. 책 판목을 다시 만들어 펴낸 것이다. 물론 언해본만을 따로 적은 것은 아니고 언해본이 앞에 실려 있던 《월인석보》를 다시 찍으면서 재간행된 것이다.

이 언해본을 희방사라는 절에서 펴냈다 하여 '희방사본'이라 부른다. 훈민정음 언해가 붙어 있는 《월인석보》가 보관되어 있던 절도 희방사이다. 도대체 어떤 절이기에 그런 귀중한 문헌과 인연을 맺었을까. 이 궁금증으로 희방사를 두 번이나 찾았다. 희방사가

● 희방사에는 6·25 직전까지 언해본 판각본이 보관되어 있었다.

있는 곳은, 지금은 경상북도 영주시 풍기읍으로 소백산 깊숙이 자리 잡고 있다.

임진왜란 24년 전에
희방사에서 복각하여 펴낸 언해본

《훈민정음》언해본은 《훈민정음》해례본 가운데 세종이 직접 지은 서문과 예의 부분만을 새로 만든 글자로 번역해 펴낸 책이다. 이 언해본은 누가, 언제 번역했는지는 알 수 없지만 세종 때 번역된 것으로 추정하고 있다. 지금 남아 있는 언해본은 1459년(세조 5)에 나온 《월인석보》권1·2 앞에 실린 것이다. 《월인석보》는 세종이 지은 《월인천강지곡》과 세조가 지은 《석보상절》을 한데 엮은

○ ㅅ ㅁ

책이다.

이 언해본은 목판으로 인쇄했으며, 반듯한 글꼴로 된 《훈민정음》 해례본보다 부드러운 글꼴로 되어 있다. 훈민정음을 널리 퍼뜨린 뒤로 수많은 사람이 이 책으로 우리말을 쓸 수 있는 방법을 깨쳤으며, 그 문자의 힘은 역사를 바꾸었다.

해례본은 1443년(세종 25)에 완성된 '예의'에 '해례'와 '정인지 서문'을 덧붙여 간행한 것으로, 한글 창제를 한문으로 설명한 해설서이다. 모두 33장 1책으로 된 목판본으로, 국보 70호로 지정되어 간송미술관에 소장되어 있다. 현재는 숭례문(남대문)이 국보 1호지만, 숭례문보다는 《훈민정음》 해례본을 국보 1호로 해야 한다고 주장하는 사람들이 많은데 설득력 있는 얘기다. 한글 국수주의 차원이 아니라 시간과 공간을 초월해 뛰어난 생산성을 지닌 것이 한글

❯ 희방사에서 복각하여 펴낸 언해본인 희방사본 정음 1장 앞면이다.

이고, 정신적 가치로 보아도 한글에 버금가는 국보는 없을 것이다.

그렇다면 언해본은 어떤 가치를 지녔을까? 언해본은 원본(한문본)을 한글로 번역한 책이므로, 그 당시 한글 명칭인 언문을 따서 '언해본'이라고 부르는 것이다. 언해본에는 희방사본 외에 박승빈 소장본, 일본 궁내성 도서실 소장본, 일본 가나자와 소장본 등이 있다.

'언해'라고는 하지만 중국 책을 언해한 것과는 성격이 다르다. 우리가 쓴 한문을 우리글로 다시 옮긴 것이기 때문이다. 이러한 훈민정음 한문본의 언해는 훈민정음의 상징적 가치를 더욱 드높이고, 훈민정음 보급 정책에 많은 공헌을 했다. 또한 교육적 효과도 컸을 것이다.

우리나라 절은 단지 불교라는
종교적인 공간만은 아니다

희방사는 신라 선덕여왕 12년(643)에 창건되었다고 한다. 1850년(철종 1)에 화재로 없어진 뒤 1852년에 나한각, 원통전, 영산각을 강월대사가 옛 모습대로 중건했는데, 공교롭게도 100년 뒤인 1951년 1월 13일 한국전쟁으로 불타 없어졌다. 희방사에 있던 《월인석보》 장판 287장과 값진 유물들도 모두 불타 버렸다.

향토사학자 송지향은 이를 안타까워하며 당시의 무지한 관리와 지방 유지들을 원망했다. 왜냐하면 유엔군이 희방사를 불태운 것은 1951년이고, 그 1년 전에 소백산 일대에 전란의 위기 신호가 내려졌기 때문이다. 즉, 산속에 있는 값진 문화재를 지방 관리나 유지들이 옮겨 놓았어야 했다는 것이다. 그러고 보니 임진왜란 때 《조선왕조실록》이 보관된 춘추관, 충주, 성주 사고가 불탔으나 전주 사고만큼은 안의, 손홍록 두 사람의 노력으로 보존되었다.

《월인석보》초간본은 1459년(세조 5)에 이뤄졌으나 희방사에 보관되어 있던 장판은 선조 원년인 1568년에 새긴 복각본인 셈이다. 이것이 불탄 것인데, 다행히 불타기 전에 찍었던 후쇄본들이 있어 '희방사본'이라는 이름이 생명력을 얻게 되었다.

우리나라의 절은 단지 불교라는 종교적인 공간만은 아니다. 조선시대의 배불정책 때문에 산속 깊숙이 자리 잡았다고는 하지만, 절은 지배 계층이나 피지배 계층 모두를 위한 생활 공간이자 정신 공간이었다. 배불정책을 썼던 조선 왕조도 사적으로는 불교를 가까이했을 뿐 아니라 절의 주요 기능은 유지시켰다. 절을 통해 많은 문화 유적이 보존되고 있는데도 많은 사람이 이를 잘 모르고 있어 안타까운 마음을 금할 수 없다. 최소한 안내판이라도 세워 사람들로 하여금 한글에 대해, 전쟁과 문화재에 관해 잠시나마 생각할 수 있는 기회를 제공해 준다면 얼마나 좋을까!

언해본의 108자 정신 이어 가기

흔히 말하는 '백팔번뇌'의 108이란 숫자는 불교에서 온 숫자는 맞지만, 이 숫자가 단순히 종교적 의미에 머무는 것은 아니다. 《훈민정음》 해례본과 언해본에도 '108'이라는 숫자 코드가 담겨 있다.

세종이 한글, 즉 '언문(훈민정음)' 창제를 마무리한 것은 1443년 음력 12월이었지만, 이를 체계화해 만백성에 알린 것은 1446년 음력 9월 상순, 지금의 한글날 즈음이었다. 《훈민정음》 해례본에서 세종 서문, 즉 어제 서문을 처음으로 발표했다.

國之語音, 異乎中國, 與文字不相流通. 故愚民有所欲言, 而終不得伸其情者多矣. 予爲此憫然, 新制二十八字, 欲使人人易習便於日用耳.

해례본의 1차 대상은 양반들이었으므로 양반들이 읽을 수 있도록 54자의 한문으로 서술했다. 이를 당시 우리말로 번역한 것이 이른바 언해본의 세종 서문이다. 세종 서문은 고등학교 국어 교과서에도 실려 있다. 언해본은 1459년(세조 5)에 《월인석보》라는 책에 실려 전하지만, 실제 번역본은 1446년 음력 9월 해례본 반포 이후 적어도 12월 말까지는 번역되었다는 것이 학자들의 중론이다.

○ ∧ ▢

108자 코드는 고 김광해 교수가 1987년에 《우리시대》 2월호에 실은 '훈민정음 어지는 왜 백여덟 글자였을까'라는 글에서 처음으로 밝혀냈다. 물론 108이라는 숫자는 불교적인 의미로도 중요하다. 하지만 108이 글자 하나하나에 온 정신을 기울였다는 사실을 보여 주는 실질적, 상징적 숫자라는 것이 더욱 중요하다.

일부러 108자를 맞추기 위해 번역에 얼마나 많은 정성을 기울였는지도 읽어 내야 한다. 현대어로 번역할 때도 108자로 번역해야 15세기 세종과 세종을 따랐던 언해본 번역가들의 정성과 간절한 마음에 닿을 수 있을 것이다. 그동안 그 의미를 살려야 한다는 의견은 있었으나, 아직 공식화된 적은 없어 필자가 여기서 처음 시도해 본다.

❶ 《훈민정음》 해례본의 세종 서문 첫 장이다.
❷ 《훈민정음》 언해본 가운데 어제 서문 언해 부분이다. 일부러 108자를 맞추기 위해 얼마나 많은 정성을 기울였는지도 읽어 내야 한다.

우리나라 말이 중국말과 달라 한자와는 서로 잘 통하지 않는다. 그러므로 글 모르는 백성이 말하려는 것이 있어도 끝내 제 뜻을 능히 펼치지 못하는 사람이 많다. 내가 이것을 가엾게 여겨 새로 스물여덟 자를 만드니, 사람마다 쉽게 익혀 날마다 씀에 편안케 하고자 할 따름이다.

_세종 서문의 현대말 108자 번역

108자 코드를 언해본에서 처음 적용한 것은 아니다. 그보다 앞서 해례본에 처음으로 적용한 것으로 보이는데, 세종이 직접 저술한 정음편의 한자 갈래 수가 108자라는 점이 신기하기까지 하다. 이는 인천교대 박병천 명예교수가 2016년 '세종의《훈민정음》에 숨겨진 불교적 숫자와 그 의미(《월간 서예》422호)'라는 글에서 처음 밝혀냈다.

물론 15세기에 108자의 의도나 의미를 밝혀 놓은 기록은 그 어디에도 없다. 그러나 세종이 해례본을 발표한 뒤 언문 보급을 위해《석보상절》,《월인천강지곡》이라는 불경을 펴낸 맥락으로 보아, 불심에 기대어 언문을 보급하고자 했던 간절한 마음을 담은 것만은 분명해 보인다. '백팔번뇌'라는 말은《표준국어대사전》에도 일반 용어로 실려 있다.

○ ∧ □

백팔^번뇌百八煩惱 : 사람이 지닌 108가지의 번뇌. 6근根에 각기 고苦, 낙樂, 불고불락不苦不樂이 있어 18가지가 되고, 이에 탐貪과 무탐無貪이 있어 36가지가 되며, 이것을 다시 과거, 현재, 미래로 각각 풀면 108가지가 된다. 일반적으로 사람의 마음속에 있는 엄청난 번뇌를 이른다.

_국립국어원《표준국어대사전》

6근은 '눈, 귀, 코, 혀, 피부, 뜻' 등의 감각기관을 뜻하는 것으로, 6×3×2×3=108이라는 것이다. 이 밖에도 108 유래에 대해서는 '6근×6경六境(색깔, 소리, 향기, 맛, 감촉, 의식)=36×3(과거, 현재, 미래)=108'이라는 설도 있다.

_위키백과-최시선,《훈민정음 비밀 코드》(경진) 참조

'108'이 어디에서 유래했든 마음속의 엄청난 번뇌를 뜻한다는 사실은 매한가지이다. 15세기에도 비슷한 뜻이었을 것이다. 그렇다면 대다수 백성들이 한자를 모르는, 한자 사용으로 인한 문제(번뇌)까지 염두에 두어 108 코드를 부여한 것은 아닐까? 세종은 성리학이라는 국가 이념 때문에 불교를 배척해야 하는 조선의 군주였지만, 백성들의 문화요 삶이었던 불교를 통해 훈민정음이 널리 퍼져 나가길 분명 바랐던 듯하다.

훈민정음을 만든
8인의 공로자들

_《훈민정음》 해례본 탄생부터 보존까지

해례본은 결과만 놓고 보면 최종 9인의 공저이지만 일반적인 공저와는 차이가 있다. 66쪽 가운데 1~7쪽 정음편은 세종이 직접 저술하고, 나머지 58쪽은 세종이 저술한 정음편을 자세히 풀어 쓴 것이기 때문이다. 따라서 '세종 등 9인 공저'라고 하면 안 되고, '세종 외 8인 공저'라고 대표 저자를 분명히 해야 한다. 세종은 훈민정음의 창제자이자 해례본 저술의 책임자이다. 그렇다면 해례본 저술에 참여한 신하들은 세종을 어떤 사람이라고 평가했을까?

《훈민정음》 해례본 저술의 공로,
세종과 8인의 공로자들

세종의 훈민정음 창제와 반포에 대한 공저자 8인의 평가이다.

공손히 생각하옵건대 우리 전하는 하늘이 내리신 성인으로서 지으신 법도와 베푸신 업적이 모든 왕들을 뛰어넘으셨다.

_《훈민정음》 해례본 29ㄱ, 1-3 정인지 서문

사실 '천종지성(하늘이 내린 성인)'이나 '백왕초월(모든 왕들을 뛰어넘음)' 같은 어구는 중국 황제에게나 쓸 수 있는 표현이었다. 그렇지만 8인도 세종의 훈민정음 창제, 보급이 얼마나 위대하고 중차대한 일인지 알고 있었기에 거침없이 이런 표현을 썼다. 그들은 과장이 아닌, 있는 그대로 헌사를 바친 것이다. 해례본의 가치에 대해서는 다음과 같이 평가하고 있다.

무릇 동방에 나라가 있은 지가 꽤 오래되었지만, 만물의 뜻을 깨달아 모든 일을 온전하게 이루게 하는 큰 지혜는 오늘을 기다리고 있었던 것이다.

_《훈민정음》 해례본 29ㄱ, 5-7 정인지 서문

하루아침에 신과 같은 솜씨로 지어 내시니 우리 겨레 오랜 역사의 어둠을 비로소 밝혀 주셨네.

_《훈민정음》해례본 24ㄱ, 7-8 합자해 결시

한자는 위대한 문자지만 어려워서 누구나 지식과 정보를 제대로 나눌 수 없었으므로 '큰 지혜'를 이루게 하지 못했다. 이제 세종이 지식과 정보를 마음껏 나눌 수 있는 문자를 만들어 반포했으니, 만물의 뜻을 깨달아 모든 일을 온전히 이루게 할 것이라는 말이다. 또한 세종이 바른 문자이자 쉬운 문자인 훈민정음으로 우리 겨레의 오랜 역사의 어둠을 비로소 밝혀 준 것이라는 뜻이다.

그렇다고 나머지 8인의 공로를 가볍게 봐서는 안 된다.《훈민정음》해례본의 저술은 집단 지성의 매우 뛰어난 결과물이다. 훈민정음 제자 원리와 가치를 학문적인 면, 내용 면에서 거의 완벽하게 저술했다.

《훈민정음》해례본의 첫 번째 공신 정인지는 집현전의 최고 책임자 신분으로 해례본 저술에 참여했다. 정인지는 예조판서였으며 대제학을 겸직했다. 그는 세종의 지시로《훈민정음》해례본 맨 뒷부분의 서문에 창제 배경과 취지 등을 썼다. '정인지 서문鄭麟趾 序文(옛 문헌에서 서문이 발문처럼 맨 뒤에 붙는 것은 흔한 일이다)'은 명문 중의 명문으로 세종 서문을 완벽하게 풀어냈을뿐더러 훈민정음의 가치와 해례본의 품격을 한없이 끌어올렸다.

정인지는 훈민정음으로 표기한 첫 번째 문헌인《용비어천가》

간행에도 참여했다. 집현전 대제학은 겸직이었으므로 집현전의 실질적인 책임자는 부제학 최만리였다. 그런데도 정인지는 집현전 책임자로서 최만리를 비롯한 집현전 원로 대신들의 훈민정음 반대를 막는 데 분명 큰 역할을 했을 것이다.

두 번째 공신 최항은 알성문과講聖文科(왕이 성균관 문묘에 참배해 작헌례를 올린 뒤 치르는 시험)에서 장원 급제한 뒤 집현전 부수찬이 되었다. 그는 학식이 높고 역사, 언어 등에 정통했다. 해례본 저술에서 어떤 역할을 했는지는 자세히 알려지지 않았지만, 훈민정음 관련 사업에 모두 참여한 것으로 보아 매우 중요한 역할을 했으리라 쉽게 짐작할 수 있다. 집현전 학사로《훈민정음》해례본 간행 전의《운회》의 한글 번역,《용비어천가》집필, 해례본 편찬과 거의 동시에 진행된 것으로 보이는《동국정운》편찬에 참여했다.

최항은 정인지 다음으로 나이가 많았고 나머지 6인이 과거에 급제한 지 얼마 안 된 신진 사대부들이었으므로, 실질적인 책임자 역할을 했을 것으로 보인다. 그는 40년 동안 벼슬을 했지만 매사에 겸손하고 신중하며, 남의 재산을 탐하지 않은 올곧은 성격이었다. 벼슬에 있으면서 한 번도 탄핵을 받지 않은 것으로 보아 정인지를 도와 8인의 집단 지성 그 중심에 있었을 것이다.

세 번째 공신 박팽년은 해례본 간행 당시 신숙주와 같은 30세였다. 그는 집현전 교리로, 집현전 학사들 가운데서도 학문과 문장, 글씨가 모두 뛰어나 '집대성'이라는 칭호와 최고의 평가를 받았으며,《훈민정음》해례본을 짓는 일에 참여했다. 역시 해례본 저술에 어떤 역할을 했는지는 자세히 알 수 없다. 그러나 최항과 마찬가지로 집현전 학사로 《훈민정음》해례본 간행 전에 《운회》의 한글 번역, 《용비어천가》집필, 해례본 간행과 거의 동시에 진행된 《동국정운》편찬에 참여했다.

네 번째 공신 신숙주는 어린 시절부터 언어와 문학에 탁월한 재능을 보였으며 중국어, 일본어, 몽골어, 여진어에 능통했다. 탁월한 외국어와 음운학 실력으로 해례본 집필에 핵심적인 역할을 맡은 것으로 보인다. 신숙주는 훈민정음 관련 모든 저술에 참여했을 뿐만 아니라, 해례본의 음운 이론이 총체적으로 반영된 《동국정운》을 대표 저술하기도 했다.

해례본 간행 직전인 1445년에는 성삼문과 더불어 중국으로 건너가 황찬을 만나 자문을 구했다. 중국어 학습서 《훈세평화》를 펴내 외국어를 공부하는 사람들에게 많은 도움을 주기도 했다. 중국 황제가 펴낸 《홍무정운》에 한글 발음을 표기한 《홍무정운역훈》도 대표 저자로 저술했고, 성종 때는 뛰어난 외국어 실력으로 한글 보급에 힘을 쏟아 일본 땅과 사람 이름의 한글 표기를 담은 일본 전문서 《해동제국기》를 펴내기도 했다 .

신숙주는 훈민정음 반포와 보급에 절대적인 위업을 남긴 학자이자 관리였다. 훈민정음 반포 외에도 국방, 외교 등 여러 분야에서 그가 남긴 업적은 이루 말할 수 없을 정도로 많다. 그러나 세조의 집권을 도왔다는 이유로 그가 이뤄 낸 일들이 제대로 평가받지 못한 점은 아쉬울 따름이다.

○ ∧ □

다섯 번째 공신 성삼문은 20세에 과거에 급제해 집현전 수찬이 된 뒤 학문 연구에 몰두했다. 문장이 물결처럼 호방하고 언어 이론에 밝았다. 세종의 명으로 신숙주와 함께 중국을 여러 차례 오가며 음운을 연구한 결과를 토대로《훈민정음》해례본을 집필했다. 신숙주와 마찬가지로《운회》번역을 제외하고는 훈민정음 관련 저술에 모두 참여했다. 중국어 학습서《직해동자습》을 펴내고,《동국정운》편찬에도 참여했다. 이 밖에도 중국 유학서《예기》본문에 한글로 토를 단《예기대문언두》도 펴냈다.

여섯 번째 공신 이개는 어릴 적부터 영리하여 뛰어난 재주가 있었으며 시 짓기에 능하고 글씨를 잘 썼다. 비록 몸은 약했지만, 정신은 올곧고 강해 사람들에게 존경받았다. 집현전 학사로《훈민정음》해례본 편찬 작업에 참여했다.《운회》를 한글로 번역하는 일부터《용비어천가》저술,《동국정운》편찬 작업에도 참여했다.

일곱 번째 공신 이선로는 '이현로'라고도 부르며 시화와 무예가 뛰어나 세종의 셋째 아들인 안평대군과 시화로 친분을 쌓았다. 집현전 학사로《훈민정음》해례본을 짓는 일에 참여했다.《운회》를 한글로 번역하는 일, 언문청에서 활동하면서《용비어천가》,《동국정운》편찬 작업에 참여했다.

여덟 번째 공신 강희안은 세종 시대 안견, 최경과 더불어 '예술의 3절'이라 불릴 만큼 시, 서예, 그림에 능하고 학문적 역량이 뛰어났다. 왕실 친척을 관리하는 돈녕부 주부로서 해례본 간행 당시에는 집현전 학사가 아니었는데도 집현전 학사들과 함께《훈민정음》 해례본 저술에 참여할 정도로 글씨와 학식이 뛰어났다. 세조가 즉위한 1455년에 강희안의 글씨를 저본底本(원본)으로 한 구리 활자 '을해자'가 만들어졌을 정도로 글씨를 잘 썼다고 한다. 집현전 학사들과 함께 《운회》를 한글로 번역하고 《용비어천가》, 《동국정운》 등을 편찬했다. 이들 8인이 참여한 저술을 정리해 보면 다음과 같다.

❯ 정인지
《훈민정음》 해례본 서문, 《용비어천가》

❯ 최항
《운회》를 언문으로 번역, 《훈민정음》 해례본, 《용비어천가》, 《동국정운》

❯ 박팽년
《운회》를 언문으로 번역, 《훈민정음》 해례본, 《용비어천가》, 《동국정운》

❯ 신숙주
《운회》를 언문으로 번역, 《훈민정음》 해례본, 《용비어천가》, 《동국정운》, 《홍무정운역훈》, 《직해동자습역훈평화》

● 성삼문

《운회》를 언문으로 번역, 《훈민정음》 해례본, 《용비어천가》, 《동국정운》, 《홍무정운역훈》, 《직해동자습역훈평화》

● 이개

《운회》를 언문으로 번역, 《훈민정음》 해례본, 《용비어천가》, 《동국정운》

● 이선로

《운회》를 언문으로 번역, 《훈민정음》 해례본, 《용비어천가》, 《동국정운》

● 강희안

《운회》를 언문으로 번역, 《훈민정음》 해례본, 《용비어천가》, 《동국정운》

훈민정음의 숨은 조력자들

이들 8인의 해례본 공저자 외에 숨은 조력자들도 많다. 간접적인 연구를 제공했을 집현전 학사들, 세종의 자녀들인 이향(문종), 이유(세조), 이용(안평대군), 정의공주 등이 그렇다. 훈민정음을 반대한 7인인 최만리, 신석조, 김문, 정창손, 하위지, 송처검, 조근도 역설적으로, 해례본 저술 간행의 1차 빌미를 제공한 셈이기에 간접적인 공로자라고 할 수 있다. 이들 덕분에 더욱 체계적인 해례본 저술이 이루어졌기 때문이다.

그중에서도 가장 큰 공로자는 세자인 이향과 둘째 아들 이유, 둘째 공주 정의공주이다. 문종은 1437년, 그러니까 훈민정음 창제 6년 전부터 세종 대신 나라를 다스리며 세종이 훈민정음 창제를 마무리하는 데 결정적인 역할을 했다. 창제 후에도 《운회》 번역 감독자로서 큰 역할을 하며 해례본 간행에 큰 도움을 주었다.

세조는 해례본 간행 직후에 나오는 한글 불경서 《석보상절》을 단독으로 펴낼 정도로 언문 실력이 뛰어났다. 정의공주는 음악과 천문, 수리에 밝아 이런 원리가 담긴 훈민정음 연구에 부왕을 크게 도운 것으로 보인다. 비록 남편 쪽 족보 관련 문서에 전하는 내용이긴 하나, 정사인 실록 졸기卒記(신하가 죽은 다음 기록한 내용)에서 정의공주가 수리와 천문에 밝았다는 내용이 나온다. 이것으로 보아 훈민정음 연구에 큰 도움을 주었다는 민간 기록은 매우 신빙성이 높다.

훈민정음 정신을 드높인
《동국정운》 대표 집필자

_ 경기도 의정부시 신숙주 묘

∧ ○ ▢

훈민정음 8인의 집필자 중 신숙주에 대해 좀 더 알아볼 필요가 있다. 43번 국도를 따라 의정부에서 남양주 방향으로 가다 의정부 교도소 입구 건너편 고산동으로 들어가는 진입로로 들어서면 '신숙주선생묘'라는 길 안내 표지판이 보인다. 표지판에서 가리킨 대로 가면 고산초등학교에 이어 삼거리가 나오고, 그 왼쪽 산 중턱에 보한재保閑齋 신숙주의 무덤과 한글 공적비가 있다.

이 묘소에는 신숙주의 무덤과 신도비, 사적비가 있다. 무덤은 부인 윤씨와의 합장묘이며 두 개의 무덤 가운데 왼쪽이 신숙주 무덤이다. 무덤 사이에는 1897년에 세운 묘비가 있다.

　묘역 아래에는 신도비(임금이나 고관 등의 업적을 기리고자 무덤 근처 길가에 세우던 비)가 두 개 서 있다. 하나는 비각 안에 있고, 또 하나는 아랫길 옆에 있다. 비각 안의 신도비는 이승소가 글을 지어 1477년(성종 8)에 세운 것이다. 이 신도비는 받침돌과 비석 몸체가 정사각형인데 마모가 심해 글씨가 거의 보이지 않는다. 그 밑의 신도비는 언제 세웠는지 정확한 기록이 없다. 그 옆에는 1971년 한글날에 한글학회가 세운 '문충공 고령 신숙주 선생 한글 창제 사적비'가 있다. 신숙주는 한글 창제 후에 큰 공적을 남긴 것이므로 '한글 반포 사적비'라고 해야 하는데, 1971년만 해도 공동 창제설이 대세인지라 이런 식으로 기록해 놓았다.

❯ 부인 윤씨와 신숙주의 합장 무덤. 무덤 사이에는 1897년에 세운 묘비가 있다.

○ ∧ □

한자의 발음을 훈민정음으로 적다

훈민정음 창제로부터 두 달이 지난 1444년 2월 16일, 세종은 집현전 교리 최항, 부교리 박팽년, 부수찬 신숙주 등을 불러들여 중국 한자 발음 책인《운서》의 한자를 훈민정음으로 적는 사업을 지시했다. 그리고 세자 이향(훗날에 문종)과 진양대군(수양대군) 이유, 안평대군 이용에게 감독 겸 책임을 맡겼다.

세종은 훈민정음 보급을 위해 대민 업무를 담당한 서리들에게 훈민정음을 가르치면서 자신감을 얻고, 중국에서 천 년 넘게 제대로 적지 못한 한자의 발음 적기에 나선 것이다. 실록에는 자세히 나와 있지 않지만, 중국 발음 책은 송나라 황공소가 지은《고금운회》라는 책이었으리라 추정된다.

한자는 뜻글자인지라 중국인들 역시 자신들의 발음을 정확히 적을 수 없어, 두 글자를 쪼개 설명하는 '반절법'으로 기록해 놓았다. 이를테면 '고高' 자의 경우, 이를 반으로 쪼갠 'ㄱ'은 '경' 자의 'ㄱ'과 같고, 'ㅗ'는 '조'의 'ㅗ'와 같다는 식이다. 그런데 한글은 그대로 '고'라고 쉽고 바르게 적을 수 있었다.

원나라 웅충熊忠은 몽골 글자인 파스파 문자로 한자 발음을 적었지만, 이 역시 한계가 있었다. 닿소리(자음) 30자, 홀소리(모음) 8자, 기호 9개로 된 파스파 문자는 사용이 불편해 실제로는 거의 쓰이지 않았기에 세종은 이를 본받을 필요가 없다고 여겼다.

그러나 이러한 세종의 지시를 미심쩍은 마음으로 지켜보던 집현전의 원로학자 7인, 즉 부제학 최만리, 직제학 신석조, 직전 김문 등은 긴급 회합을 가졌다. 이들은 새 문자가 하층민들도 쉽게 배울 수 있는 문자인데다 중국의 정통 발음도 우리식으로 정리한다는 말을 듣고 기겁을 했다. 급기야 세종의 새 문자 정책을 반대한다는 상소를 올리기에 이르렀다.

세종은 이들의 대표 격인 최만리와 깊이 토론을 했고, 어느 정도 설득에 성공하자 다시 본격적인 표준 발음 정리와 해설서 집필에 매달렸다. 반대 상소가 올라온 지 1년쯤 지난 1445년 1월 7일, 세종은 신숙주와 성삼문, 통역사 손수산 등을 불러 요동에 귀양 와 있는 중국의 저명한 음운학자 황찬을 만나 자문을 구할 것을 명했다. 세 신하는 더 완벽한 새 문자 해설을 위해 몇 달이 걸리는 고된 일정을 기꺼이 소화해 냈다. 이런 노력이 있었기에 우리식 발음 표준서인《동국정운》을 완성하고, 중국 발음 책도 정확히 옮길 수 있었다. 당시 고된 여정 속에서 신숙주와 성삼문이 남긴 시가 있어 눈길을 끈다.

잇소리, 혓소리, 입술소리, 어금닛소리, 발음 아직도 익숙지 못하니
중국 사신 길 기묘한 문자를 묻는 헛걸음되었네.
삼경의 초생달에 고향 생각 떠오르고
한때의 훈훈한 바람 나그네 시름 흔드누나.
요동 하늘에 먼지이니 먼 시야 희미하고

○ ∧ □

골령에 구름 걷히니 푸르름 드러나네.

소매 속에서 때때로 제공들의 글을 보며

되는대로 흥얼대니 작별의 설움 새로워라

_신숙주

나의 학문 그대보다 거칠고 못 미쳐

요양의 만 리 길 함께 감 부끄럽네.

자리 위 호족 장사치는 나와 무릎 마주하고

하늘가의 먼 나그네 인정을 못 이겨 하네

꿈속의 고국 참으로 갈 수 없는데

봄 지난 동산의 숲은 푸르기만 하구나

글귀마다 모두 백설의 명곡이니

화답하여 온갖 시름 잊을 수 있네

_성삼문

　황찬과 구체적으로 어떤 대화와 토론을 했는지, 어떤 것을 배워 왔는지는 기록이 없지만, 두 젊은이의 노력은 틀림없이 해례본 저술에 큰 도움을 주었을 것이다. 특히 신숙주는 해례본 집필뿐만 아니라 한자 발음을 훈민정음으로 표기한《동국정운》을 세종과 함께 펴내는 데 중추적인 역할을 했다. 신숙주가 적은 머리말에서 알 수 있듯《동국정운》은 가장 이상적인 말소리의 표준을 담은 책이다.

이제 훈민정음으로 적으면 그 어떤 소리도 털끝만큼도 틀리지 아니하니, 훈민정음은 실로 소리를 전하는 중심 줄인지라. 아아, 소리를 살펴서 말소리를 알고, 말소리를 살펴서 음악을 알며, 음악을 살펴서 정치를 알게 되나니, 뒤에 보는 이들이 반드시 얻는 바가 있으리로다.

_《동국정운》머리말

세종이 운명하던 해인 1450년 3월 어느 날이었다. 정인지, 김하, 성삼문, 신숙주 등의 집현전 학사들이 서울에 머물던 중국 사신단을 찾았다. 이들이 사신에게 중국어를 표기하기 위한 가르침을 청하자, 사신은 복건福建 지역의 발음이 조선과 비슷하니 그것을 참고하라고 조언했다. 그리고 중국어 발음 이론 책인 《홍무정운》을

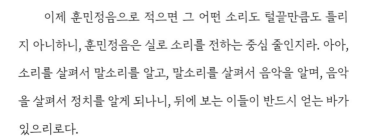

● 신숙주는 중국 발음 책을 자세히 풀어쓴 《홍무정운역훈》 16권을 임금에게 바쳤다.

가지고 토론을 벌였다. 《홍무정운》은 세종이 훈민정음을 만들 때 많이 참고한 책이자 학사들이 훈민정음 해설책을 낼 때 큰 도움을 준 책이다.

5년 뒤인 1455년(단종 3), 신숙주는 중국 발음 책을 자세히 풀어 쓴 《홍무정운역훈》 16권을 임금에게 바쳤다. 그리고 이 책을 우리식으로 풀어 쓴 《사성통고》라는 책도 편찬했다. 이 책에는 글자 해석이 없었기에 뒤에 최세진이 《사성통해》라는 책을 만들어 내용을 보완했다. 이 책이 완성되기 2년 전인 1453년에 신숙주는 성삼문과 더불어 중국어 교재인 《직해동자습역훈평화》를 함께 펴내기도 했다. 성삼문 역시 뛰어난 학자였으나 세조에 반대해 일찍 죽는 바람에 많은 업적을 남기지는 못했다.

훈민정음을 지킨 사람들

_해례본 발견자 이용준과 해례본 지킴이 전형필

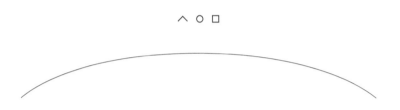

해례본이 발견된 곳이 이용준(1916~2000년 전후)의 친가인 경북 안동 이한걸 종택인지, 처가인 광산 김씨 긍구당肯構堂 고택인지 논란이 되고 있다. 그러나 최초의 발견자가 이용준이라는 사실은 분명하다. 하지만 그가 전쟁 직전에 가족과 함께 월북했다는 이유 때문인지 안타깝게도 그는 제대로 조명을 받지 못하고 있다. 두 번째로 발견된 해례본 초간본을 찾아낸 배익기 씨가 뜨거운 화제가 되는 것과 비교된다. 이제라도 이용준을 발견 공로자로 역사적 평가를 하는 것이 바람직하다.

● 이용준이 쓴 붓글씨의
천재성을 보도한 신문
자료로, 이용준은 16
세에 그린 〈도산별곡〉
과 글이 조선서화 전
람회에서 입선할 만큼
명필가였다.

★ 《조선민보》 1930년 6월
15일

여기서 '발견'이란 표현을 쓰는 이유는 1446년 이후에 해례본
을 보았다는 공적 기록이 없기 때문이다. 해례본은 목판본으로 대
략 500여 권이 만들어졌을 것으로 추정되지만, 어찌 된 일인지 자
취가 묘연하다가 안동에서 가까스로 처음 발견되었다. 누구나 지
식을 쌓을 수 있는 쉬운 문자를 경계한 양반들의 견제, 16세기 초
연산군의 훈민정음 탄압, 16세기 말 임진왜란 등 다양한 요인 때문
에 오래전부터 희귀본이 된 셈이다.

《훈민정음》 해례본의 발견 공로자 이용준

이용준은 안동에서 학식과 인덕이 뛰어나고 교육으로 신망이
두터웠던 이한걸(1880~1951)의 셋째 아들로 태어나 17세였던 1933년

에 광산 김씨 김응수의 셋째 딸 김남이와 혼인했다. 1936년 서울 명륜학원 연구과(지금의 성균관대 한문학과)에 입학했고, 해례본이 공개된 1940년에는 25세였다.

《진성 이씨 안동화수회보》 5호에 실린 '훈민정음' 해례본 원소장처는 안동 진성 이씨 주촌 종택'에 따르면, 이용준은 1938년 무렵에 그의 아버지 이한걸과 함께 해례본을 처음 인지했다고 한다. 당시 명륜학원 학생이었던 이용준은 그곳에 강의를 나왔던 서울대 교수 김태준에게 해례본에 관한 사실을 알렸고, 이후 전형필 소장으로 이어지게 된 것이다.

최초의 인지 시점이 1938년이라는 것은 전형필의 증언과 비

❷ 《훈민정음》 해례본 보사 부분(정음1ㄱ)과 진본(정음3ㄱ)이다. 보사 부분 글씨는 전문가가 아니라면 눈치채지 못할 정도로 진본과 거의 비슷하다.

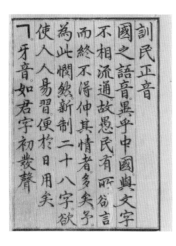

○ ∧ □

● 이용준 선생이 살던 안
동시 회양당의 2020년
(위)과 일제강점기 무렵
(아래) 전경. 지금도 없
어지지 않고 남아 있다.

슷하게 일치한다. 전형필은 회고록에서 소식을 들은 지 1년이 지나
1940년에 소장하게 되었다고 했기 때문이다. 이용준은 아마도 해
례본 낙장 부분인 앞 두 장(네 쪽)을 보사補寫하고 나서 공개한 것으
로 보인다.

이용준은 15세에 '축 조선민보祝 朝鮮民報'라고 쓴 글씨가 사진과
함께 《조선민보》에 보도되고, 16세에 그린 〈도산별곡〉과 글이 조
선서화 전람회에서 입선할 만큼 명필가로 이름을 날렸다. 덕분에

보사도 얼마든지 할 수 있었다. 그래서 보사 부분 글씨는 전문가가 아니라면 눈치채지 못할 정도로 진본과 거의 비슷하다. 다만 세종 서문의 마지막 글자인 '따름 이耳'를 '어조사 의矣'로 잘못 기록해 앞 부분의 네 쪽은 진본이 아님이 드러났다.

《훈민정음》 해례본 지킴이로서 공로를 세운 전형필

간송 전형필은 을사늑약으로 나라가 기울어 가던 1906년에 태어나 해례본이 국보 70호로 지정되던 해인 1962년에 운명했다. 국보로 지정된 것은 12월 20일이었는데, 안타깝게도 이를 보지 못하고 1월에 눈을 감았다.

전형필의 해례본 관련 공적은 크게 네 가지로 볼 수 있다. 첫째, 해례본을 우연히 소장한 것이 아니라 철저한 준비 끝에 소장하게 되었다는 점이다. 전형필은 1921년에 휘문고등보통학교에 입학했는데, 바로 그해에 조선어학회의 전신인 조선어연구회가 창립되었다. 이 학교의 교장 임경재 선생이 조선어연구회 임원이었다. 전형필은 이 학교를 21세인 1926년에 졸업했다.

전형필은 일본 와세다대학 재학 중에 부친에게 거액의 유산을 상속받았고 1930년에 귀국했다. 귀국 후에는 독립운동가였던 오세창의 영향을 받아 우리 문화재를 지키는 일에 앞장섰다. 20대 중반에 거부가 되었지만, 상속받은 거의 모든 재산을 문화재를 지키는 일에 쏟아붓는 길을 걷게 되었다. 해례본 소장 10년 전이었다.

27세였던 1932년에는 고서점 '한남서림'을 인수했는데, 향후 해례본 소장에 신의 한 수가 되었다. 해례본을 한남서림을 통해 구입했기 때문이다. 1938년에는 최고의 신식 건물로, 지금의 사립 미술 박물관인 '보화각'을 건립했다. 일제의 우리 말과 문화에 대한 탄압이 극에 달하던 시기였다.

이 무렵은 학자들 사이에 원본으로 여겨졌던 《훈민정음》 언해본이 세종이 1446년에 펴낸 원본이 아니라, 진짜 원본이 어딘가에 있을 것이라는 소문이 나돌던 시기였다. 1939년에 해례본 소식을 접한 전형필은 백방으로 수소문한 끝에 1940년에 가까스로 해례본을 소장하게 되었다.

둘째, 해례본 소장 이후 일제강점기에 대응한 가장 효율적인 보존 전략을 쓴 점이다. 전형필은 해례본을 발견한 이용준 집안에 거액을 주고 매입했다. 이용준 쪽에서는 오늘날 1~2억 정도의 일본 돈 천 원이면 족하다고 했다. 그러나 최고의 문화재를 어찌 일반 책처럼 살 수 있느냐며 당시 경성에서 가장 비싼 기와집 열 채 값을 주었다. 한남서림 거래 상인에게는 수고비로 천 원을 추가로 주었다고 한다. 책값으로 실제 얼마나 지불했는지에 대해서는 만 원 설과 삼천 원 설이 있지만, 그 어떤 기록도 남아 있지 않아 역사의 미스터리가 되었다.

당시는 서슬 퍼런 일제 치하였고 우리말글 사용과 교육이 금

❶ ❷ 간송미술관 준공 당시 모습(❶)과 2022년의 모습이다.《훈민정음》해례본이 간송미술관에 소장되어 있다.

❸ 간송 전형필 기록 상상도(이무성)이다.

○ ∧ □

지되던 때라 이 일은 은밀하게 추진할 수밖에 없었다. 그 과정에서 1년 남짓 시간이 흘러 1940년 봄에 이르러서야 가까스로 계약이 이뤄져 소장하게 된 것이다.

만약 최고의 문화재를 소장하게 되었다고 호들갑을 떨었다면 우리말글 탄압에 혈안이 됐던 일제가 어떤 짓을 했을지 모르던 시기였다. 그랬기에 몰래 소장한 뒤 당대 최고의 서지학자인 송석하에게 부탁해 모사본을 만들게 했다.

모사본을 얻어 본 홍기문과 방종현은 해례 부분을 번역해《조선일보》에 1940년 7월 30일부터 5회에 걸쳐 연재했다. 그러나 연재가 끝나고 열흘 뒤에《조선일보》는《동아일보》와 함께 폐간되었다. 그해 10월 무렵《정음》이라는 잡지에 해례본 전문이 실리고, 12월에는 정인승이 잡지《한글》에 이 책을 자세히 소개했다.

최현배는 1942년 출간한《한글길》에서 전형필이 해례본을 소장하고 있음을 밝히고 진본임을 널리 알렸다. 이 해에 조선어학회 사건이 터져 최현배를 비롯한 학자 33인이 옥에 갇히는 암흑기가 해방까지 이어졌지만, 전형필의 행적은 태산처럼 무거웠고 진중했다. 그 덕에 세파에 흔들리지 않고 별 탈 없이 해례본을 우리 손에 안겨 줄 수 있었다.

셋째, 두 가지 영인본을 적절한 시기에 펴내 해례본의 내용과 가치를 제대로 알렸다는 점이다. 첫 번째 영인본은 광복 후 1946년 조선어학회에서 한글날인 10월 9일에《훈민정음》(조선어학회 편, 보진재)으로 간행되었다. 전문가들에게는 이미 간접적으로 공개를 한

● 간송미술관 입구의 간송 전형필 선생 흉상이다. 안타깝게도 전형필은 《훈민정음》 해례본이 국보로 지정되는 것을 보지 못하고 눈을 감았다.

셈이지만 이를 통해 모든 사람에게 정식으로 직접 공개한 것이다.

전형필은 이 소중한 물건을 다른 사람에게만 맡길 수 없어 직접 인쇄소에 나와 영인본 만드는 일을 거들었다. 몇 부를 발행했는지는 기록에 남아 있지 않지만, 조선어학회 김윤경 선생의 증언(《훈민정음의 장점과 단점》(1955))에 따르면 1만 부를 발행했다고 한다. 1940년에 최초 번역을 홍기문과 함께한 방종현은 별책 해제에서 해례본에 대해 이렇게 말했다.

누구나 다 가져야 할 것이니 가지되 소중히 지니어야 할 것이요. 누구나 다 읽어야 할 것이니 읽되 정밀히 깨달아야 할 것이어늘

○ ∧ □

원체가 희귀함에야 어찌하리오?

_1946년 조선어학회 영인본 별책 해제

결국《훈민정음》해례본은 영인본 덕분에 그 내용이 더욱 널리 알려질 수 있었고, 1957년에는 통문관 이겸노 사장의 부탁으로 《주해 훈민정음》(김민수)과《한글의 기원》(이상백)의 부록 방식으로 또 다른 영인본을 펴내게 되었다.

조선어학회 영인본이 판심版心(옛 책에서 책장 가운데를 접어 양면으로 나눌 때 접힌 가운데 부분)과 지저분한 옛 책의 흔적을 지운 다듬본 방식이라면, 통문관 영인본은 있는 그대로 사진을 찍은 사진본 방식이었다. 이때도 전형필은 인쇄소에 나가 한 장 한 장 영인하는 일을 정성스럽게 도왔다. 물론 흑백 인쇄이기에 있는 그대로를 보여 주는 데는 한계가 있었지만, 이 영인본이 널리 퍼진 덕분에 실증적인 연구가 진행될 수 있었다.

넷째, 전쟁의 참화로부터 무사히 지켜 냈다는 점이다. 영인본이 나오고 4년 뒤에 6·25 전쟁이 터졌는데, 미처 피난을 가지 못한 전형필은 비밀리에 몸을 피한 모처에 이 책만 가져가 품에 안고 잘 정도로 책을 지키기 위해 온 힘을 기울였다. 1·4 후퇴 당시에 남쪽으로 피난 갈 때도 마찬가지였다. 이런 각고의 노력 끝에 3년간의 전란으로부터 해례본 영인본을 지킨 것이다.

결국 이런 노력이 결실을 맺어 해례본은 전형필이 운명한 해인 1962년에는 국보로, 1997년에는 인류의 문화재인 세계기록유산으로 지정되었다. 바로 이 해에 한글학회는 기존에 펴낸 영인본의 문제를 바로잡고, 더욱 정밀하게 다듬은 《훈민정음》(한글학회 편, 해성사)을 허웅 해제로 펴내 해례본 연구와 확산에 크게 이바지했다. 일부 초판 판권이 1998년으로 된 것도 있는데, 해성사에서 2쇄 판권을 임의로 초판 판권인 것처럼 1998년으로 찍는 바람에 생긴 실수이다.

이렇게 다양한 영인본이 나왔지만, 원본을 직접 보고 싶어 하는 전문가나 일반인들의 열망은 식지 않았다. 성북동 간송미술관에서 한글날 특별 전시가 열리는 날이면 이 책을 보기 위한 사람들로 인산인해를 이루곤 했다. 그렇다고 전시회를 자주 열 수는 없었다. 전시를 하려면 보험에 들어야 하는데 하루 보험료만 무려 1억원에 달했다. 보험료는 국제 경매 가격을 기준으로 정하는데, 해례본은 최소 1조 원으로 책정되었기 때문이다.

이런 문제를 해결하고자 간송미술문화재단은 교보문고와 손잡고 2015년에 최초의 복간본인 《훈민정음》(간송미술문화재단 편, 교보문고)을 필자 해제로 간행했다. 복간본은 원본의 색, 종이 등을 그대로 재현한 것이다. 한정판 3,000질을 복간본과 해설서 한 묶음으로 25만 원에 판매했지만, 1년 안에 다 팔려 절판될 정도로 많은 국민의 사랑을 받았다. 복간본은 《훈민정음 해례본 입체강독본》(김슬옹, 2017, 박이정)의 부록으로도 실려 있다.

ㅇㅅㅁ

❶ 간송본 원본.

❷ 조선어학회 영인본(1946).

❸ 통문관 영인본(1957).

❹ 복간본.

❺ 한글학회 영인본(1997).

❻ 문화재청 복원본(2017).

《훈민정음》 해례본의 또 다른 주인공들

해례본을 만들고 지켜 온 사람들이 있었기에 해례본은 오늘날 우리에게 전해지고 있다. 이제부터는 해례본의 가치를 이어 가는 후손들이 해례본의 또 다른 주인공이 되어야 한다. 안타깝게도 해례본에 대한 국민의 관심은 뜨겁지만, 정작 해례본의 내용을 제대로 아는 이는 드물다. 중고등학교 교과서에서도 제대로 소개하지 않고 있기 때문이다.

국문과나 국어교육과처럼 전문적으로 국어를 가르치는 곳에서조차 웬만해서는 해례본을 처음부터 끝까지 가르치지 않는다. 해례본의 가치는 잘 보존하면 그대로 유지되지만, 더욱 중요한 보존은 그 가치를 모두 함께 오래 나누는 것이다. 필자가 해례본 강독을 전 세계인을 대상으로 비대면으로라도 이어 가는 이유이기

❯ 해례본에 나오는 모든 글꼴을 살린 영문 번역 손바닥 책도 펴냈다.

도 하다.

해례본은 세계기록유산인 만큼 전 세계인이 읽어야 한다. 그래서 2022년에 해례본에서 나오는 모든 글꼴을 살린 영문 번역(존 던 드웨거·김슬옹) 손바닥 책도 펴냈다(문화기획 소희연).

셋째마당

오직 하나의 글,
한글 유적지

한글의 아버지가 잠든 곳

_ 경기도 여주시 세종 영릉

세종대왕은 1450년 음력 2월 17일, 여덟째 아들인 영응대군의 집 동별궁에서 54세의 나이에 눈을 감았다. 영응대군은 소헌왕후와의 사이에서 낳은 8남 2녀 가운데 막내아들이었다. 아쉽게도 소헌왕후는 한글을 반포하던 해에 이를 미처 보지 못하고 세상을 떠났다. 세종대왕과 소헌왕후가 나란히 잠들어 있는 여주시 영릉의 의미와 가치는 무엇일까? 혹시라도 소헌왕후는 사후에 세종대왕이 한글 불경으로 명복을 빌었다는 사실을 알았을까?

《세종실록》으로 본 세종의 본이름 '이도'

'세종'이라는 이름은 세종이 운명한 뒤 부른 묘호로, 원래는 '세종장헌영문예무인성명효대왕世宗莊憲英文睿武仁聖明孝大王'이라는 긴 이름이다. 이 중 '영문英文'이라는 말이 세종의 문자 창제, 그리고 반포의 업적을 보여 준다. 한글이 없었다면 오늘날 우리는 그 어려운 한자를 배우거나 일제강점기의 영향으로 일본말을 쓰거나 영어를 써야 했을 것이다.

여기서 잠시 세종의 본이름인 '이도'에 대해 생각해 보자. 그동안 사람들은 '복 도祹' 자를 쓴다고 생각해 왔는데, 필자가 '옷소매 도裪'임을 밝혀냈다. 그 당시에는 높은 사람의 이름에 쓰이는 한자를 다른 문장에서 사용하는 것을 피했다. 그래서 뜻이 비슷한 다른 글자로 대용하거나 획의 일부를 생략했는데, '복'이라는 좋은 뜻을

❯ 영릉은 세종대왕과 소헌왕후의 합장묘이다.

★ 문화재청 소장

○ ∧ □

《세종실록》에서 세종의 본이름을 표기한 대목

실록 날짜와 기사 제목	태백산고본 실제 이미지
《세종실록》1권, 총서	裪
세종 즉위년(1418) 8월 14일 영돈녕·영의정·대간을 불러 중국에 전위한 일을 알리는 방법을 의논하다.	裪
세종 즉위년 9월 4일 황제가 보낸 환관 육선재가 칙서와 황제가 준 명칭가곡 천 본을 받들고 오다.	裪
세종 즉위년 9월 13일 상왕이 명나라 황제에게 세자 이도가 임시로 섭행함을 아뢰다.	裪
세종 32년 2월 22일 지중추원사 이선 등을 북경에 보내 부고를 고하고 시호를 청하다.	裪

가진 '도'를 이름에 쓰면 백성들이 쓸 수 없기에 평범한 뜻(옷소매)을 이름에 부여했다. 이는 애민 정신에서 나온 작명 전략이다.

　이러한 사실은《세종실록》을 보면 금방 알 수 있는데 관련 5건의 기록이 모두 표처럼 '裪'로 적혀 있다. 그런데도 실록을 번역하는 이들이 이 글자를 '복 도裪'의 이체자 '衤+匋'로 판독하고 기록해 '복 도裪'로 오해하게 된 것이다. '옷의변衤=衤' 계열 이름이라는 것은 조선 왕실의 족보인《선원계보기략》에서도 확인할 수 있다.

　태종은 원경왕후와의 사이에서 4명의 왕자, 후궁 사이에서 8명

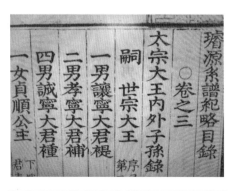

❥ 《선원계보기략》에서
도 세종의 이름이 옷
의변 계열임을 확인할
수 있다.

의 왕자를 낳아 왕자가 모두 12명이었는데, 모두 '옷의변(5획)' 계열
의 이름을 썼다. 왕족 이름으로 쓴 한자는 일반 백성들이 마음대로
쓸 수 없었다. 왕실은 이를 고려해 이름을 한 글자로 지었다. 한 글
자이다 보니 돌림자 설정이 어려워서 특정 부수를 돌림자 대용으로
삼았다. 여기서는 '옷의변' 자를 대용으로 삼았다. 결국 세종의 이름
은 '복 도'가 아닌 '옷소매 도裪'를 썼다는 사실을 알 수 있다.

　　후대 사람들이 세종을 존경하는 마음으로 좋은 뜻으로 보려는 선입견이 작용해 세종의 본이름을 '복 도'로 오해하게 된 것이다. 그러나 세종의 이름이 옷소매를 뜻한다고 해서 세종과 왕실의 권위가 내려가는 것은 아니다.

세종은 22세에 임금이 되어 32년간 나라를 다스렸는데 한글 창제는 47세 때였다. 생애의 막바지에 위대한 문자가 겨레의 품으로 온 것이다. 더욱이 창제 2년 전인 1441년 음력 2월 20일의 실록을 보면 '눈병을 얻은 지 이제 10년이나 되었다'라고 적혀 있으며, 두 달 후에는 '눈이 흐릿하고 깔깔하며 아파서 봄부터는 음침하고 어두운 곳은 지팡이가 아니고는 걷기에 어려웠다'라고 기록되어 있다. 그래서 일부 의학자들은 훈민정음 반포 당시 세종이 실명 직전 단계에 이를 만큼 시력이 안 좋았으리라 추측한다.

반포 2년 전인 1444년에는 다섯째 아들 광평대군이 죽고, 1445년에는 일곱째 아들 평원대원이 죽고, 반포한 해 3월에는 아내 소헌왕후가 죽었다. 이런 극한의 육체적, 정신적 고통 속에서도 세종은 4년간 훈민정음을 보급하고자 온갖 애를 쓰다가 세상을 떠났다. 과거 시험 과목에도 훈민정음을 도입했다.

세종한글도시, 여주

살아생전 백성들의 안녕만 생각한 겨레의 성왕 세종대왕은 죽어서는 여주시 영릉에 묻혀 여주시를 빛내고 있다. 세종이 묻힌 곳이어서일까? 여주만 오면 이상하게 마음이 편하다. 여주시 입구에 세워진 '한글의 도시'라는 조형물을 보면 이곳이 세종한글도시임을 실감할 수 있다. 1970년 5월 26일 사적 제195호로 지정된 세종 영릉은 경기도 여주시 세종대왕면 영릉로 327에 있는 능으로, 이곳에 세종이 소헌왕후와 함께 묻혀 있다.

원래 이곳의 지명은 능서면이었으나 2022년에 세종대왕면으로 바뀌었다. 세종대왕의 능을 품고 있는 지역다운 이름이다. 여주시는 이 지역을 세종인문도시, 세종한글도시로 꾸미기 위해 다양한 사업을 벌이고 있다. 지금 있는 전시물들은 대부분 박정희 전 대통령이 1975년 무렵에 조성한 것이다.

영릉은 조선시대 최초로 하나의 봉분에 왕과 왕비를 합장한 왕릉으로 동쪽에는 소헌왕후가 서쪽에는 세종이 누워 있다. 소헌왕후가 서거한 1446년 당시에는 광주廣州(현재의 서울시 서초구 내곡

❯ 여주시 입구에 세워진 '한글의 도시' 조형물을 보면 이곳이 세종한글도시임을 실감할 수 있다.

● 세종대왕 동상이 영릉 입구에서 사람들을 맞이한다.

동)에 능을 만들었지만, 세종이 1450년에 운명하자 내곡동에 합장했다가 1469년(예종 1)에 지금의 장소로 옮겼다.

여주터미널 사거리에는 옥좌에 앉아 있는 세종대왕상이 있다. 이 세종대왕상은 훈민정음 반포 559주년을 맞이하여 세종대왕의 위업을 기리고 여주 주민의 역사와 문화 의식을 드높이고, 여주시의 정신적 표상으로 삼기 위해 2005년 10월 9일에 세운 것이다.

심정수 작가가 조각한 이 동상의 앞면에는 '세종어제훈민정음 서문' 전문이 적혀 있다. 위쪽에는 한글 낱소리글자로 띠를 만들었고 옆면에는 세종의 업적을 그림으로 새겨 놓았다. 그리고 뒤쪽에는 1397년 태어난 때부터 1450년 승하할 때까지의 '세종대왕 약사'를 기록해 놓았다. 또한 옆면 왼쪽에는 집현전 학사도와 지음도,

오른쪽에는 서운관도와 대마도 정벌도가 새겨져 있다. 이 세종대
왕상 뒤로 2킬로미터쯤 들어가면 세종대왕 능과 같은 이름인 '영
릉'이 또 나온다. 이것은 효종의 무덤으로 두 왕의 능이 바로 옆에
붙어 있다.

영릉에 전시하고 있는 한글에 관한 업적 소개는 크게 세 부분
으로 나눠 볼 수 있다. 하나는 야외에 전시된 각종 과학 전시물이
고, 또 하나는 동상에 새겨진 한글 공적에 관한 글이며 마지막으로
전시관에 있는 각종 그림과 글이다.

과학 전시물이 어떻게 한글과 관련 있느냐고 되묻는 사람이
있을지 모르겠다. 답은 간단하다. 한글은 과학 문자이기 때문이다.
세종은 실제로 수학자이자 과학자이기도 했다. 야외에 전시된 각
종 과학 기구들은 모조품이지만 당대 최고의 과학 수준을 자랑한

❯ 575돌 한글날 기념 입체
그림전과 오징어 한글 안
내 책자이다. 한글을 활용
한 아이디어가 돋보인다.

○ ∧ □

다. 자동 제어 나무 로봇형 시계인 자격루, 다목적용 세계 최초 해시계인 앙부일구, 휴대용 해시계 천평일구를 시작으로 소간의, 대간의 등 다양한 기구들이 입구에 전시되어 있다. 이러한 업적을 통해 세종의 과학 정신이 한글에 녹아 있음을 짐작할 수 있다.

세종은 '인류 50대 언어 사상가'로 세계 언어학계에서 재조명받고 있다. 그러나 그는 언어 사상가이기 이전에 과학자였다. 한글이 바로 과학 정신이 담긴 글자인 덕분에 정보 혁명과 지식 혁명의 매체로 떠오르고 있다. 최근 언어학자들의 연구에 따르면, 한글은 세계에서도 몇 안 되는 자질문자資質文字(문자가 나타내는 음소의 자질이 글자의 외형에 체계적으로 반영된 문자)이다. 한글 체계는 기본자와 거기에 획을 더한 글자들로 이뤄져 있는데, 바로 이것이 자질을 나타낸다. 이것만 보아도 한글의 우수성을 가늠할 수 있다. 일본의 언어학자 노마 히데키의 말이다.

한글은 앎의 혁명을 낳은 문자이다. 훈민정음이 민족주의적인 맥락에서 칭송받는 일은 적지 않으나, 그보다 훨씬 더 보편적인 맥락 안에서 '지知' 성립의 근원을 비추고 있다.

미국의 언어학자 새뮤얼 램지Samuel Robert Ramsey Jr. 교수도 이렇게 평가했다.

한글은 소리와 글이 서로 체계적인 연계성을 지닌 과학적인 문자이다. 한글 창제는 어느 문자에서도 찾을 수 없는 위대한 성취이자 기념비적인 사건이다.

여주 한글도시의 상징, 세종대왕릉역과 한글시장, 한지·한글문화체험복합공간

한글의 도시 여주시를 상징하는 곳이 있다. 세종대왕릉의 바깥문 역할을 하는 세종대왕릉역과 한글시장, 그리고 한지·한글문화체험복합공간인 '봉순이 자연아띠'이다.

세종대왕릉역은 이제 영릉을 찾는 이들이나 떠나는 이들이 반

❯ 세종대왕릉역은 한글로 디자인된 여러 작품과 언해본으로 벽을 가득 채우고 있어 매우 인상적이다.

○ ∧ □

❶ 여주 한글시장은 세종의 신바람과 꿈을 나누는 장터이다.

❷ 세종 동상이 한글 전시를 흐뭇해하고 있다.

드시 거쳐 가는 관문이 되었다. 역에서 영릉까지 걷기에는 좀 부담스럽지만 15분이면 너끈히 갈 수 있고 버스를 이용해도 좋다. 세종대왕릉역은 한글로 디자인된 여러 작품과 언해본으로 벽을 가득 채우고 있어 매우 인상적이다. 해례본 가운데 세종이 직접 저술한 부분이 '정음편'인데, 이를 언해한 언해본을 벽돌에 새겨 놓았다. 몹시 투박해서 좀 더 보기 좋게 가다듬는다면 더욱 좋겠지만, 역 안을 온통 한글로 채운 곳은 세종대왕릉역이 아니면 보기 힘들다.

여주시 중앙사거리 중앙광장에는 한글시장이 조성되어 있다.

다채로운 한글 조각과 꼬마 세종까지 나서서 사람들을 반긴다. 아직은 한글 관련 상품 개발이 미흡하기는 하지만, 한글 관련 전시 등으로 분위기를 조성하고 있다.

시장은 단순히 물건을 사고파는 곳이 아니다. 왁자지껄한 삶의 이야기를 주고받고, 함께 부대끼고, 정을 나누는 공간이다. 신바람과 수다를 그대로 적게 만든 한글, 그 한글을 창제하고 반포한 세종대왕을 품은 세종인문도시 여주시! 이곳의 한글시장은 세종의 신바람과 꿈을 나누는 장터가 되어야 한다.

2020년에는 여주문화재단과 세종국어문화원이 훈민정음 28대 정보 입체 그림전을 주최했다. 이 전시회에서는 오징어 한글 등 다채로운 전시를 선보이며 한글시장의 품격을 높였다는 평가를 받았다.

'봉순이와 자연에서 만나 동행하는 친한 친구들'. 이러한 뜻을 지닌 '봉순이 자연아띠'는 한지·한글문화체험복합공간으로 한글 상품, 한글 공예 예술품을 전시하고 있다. 평소에 한글과 한지를 지키고 가꾸는 데 힘을 기울여 온 봉순이 이사장이 개인적으로 세운 곳이다. 그렇지만 이제는 한글 예술, 한글 상품, 한글 문화를 담고 있는 상징적인 공간이 되었다. 여주시 북내면 여양2로 796에 지상 1층의 전시면적 183.5제곱미터의 아담한 건물로 상설 전시, 기획 전시, 체험, 교육, 카페 쉼터까지 두루 갖추고 있다. 봉 이사장의 이야기를 들어 보자.

○ ∧ □

한글은 소통의 언어이자 시각의 언어이다. 그뿐만 아니라 디자인적인 조형미도 뛰어나고 모든 소재에 접목할 수 있는 장점도 있다. 특히 한지는 한글을 만나, 한글은 한지를 만나 더욱 빛을 발한다. 이제는 한글도 세계적인 명품이 될 수 있겠다는 꿈을 가져 본다.

그동안 한글 공예 디자인 공모전을 열어서 수많은 한글 예술가들의 꿈을 키워 왔고, 그 결과물들을 모아서 봉순이 자연아띠를 만들었다. 한글 예술품을 다채롭게 전시하고 있는 봉순이 자연아띠는 과연 한글의 도시 여주와 잘 어울리는 공간이다.

❯ '봉순이 자연아띠'는 한지·한글문화체험 복합공간으로 한글 상품, 한글 공예 예술품을 전시하고 있다.

훈민정음과 세종의 아이들,
늘푸른자연학교 아이들

여주의 상징처럼 떠오른 대안학교 아이들이 있다. 여주시 점동면에 있는 늘푸른자연학교 아이들이다. 유튜브에서 이 아이들의 한글춤을 볼 수 있는데, 그 모습을 보고 있으면 세종의 어린 시절을 보는 듯하다.

늘푸른자연학교는 이상적인 대안학교이다. 대부분의 대안학교는 취지가 어떻든 공교육의 반대편에 서 있다. 그런데 이 학교는 낮에는 공교육에서 교육을 받고 방과 후에 취미와 적성 위주의 특별 교육을 받는 농촌형 대안학교이다. 날로 인구가 줄어드는 농촌도 살리고, 공교육도 살리고, 아이들의 꿈과 희망도 살리니 가히 일석삼조라 하겠다.

❯ 아이들이 한글춤을 추는 모습을 보고 있으면 세종의 어린 시절을 보는 듯하다.

○ ∧ □

늘푸른자연학교 아이들과의 인연은 2015년으로 거슬러 올라간다. 그해 3월에 개교한 늘푸른자연학교는 11월을 맞아 제1회 너나들이 큰잔치를 열었다. 여주 주민들이 모인 가운데 성대한 잔치가 열렸고 아이들의 춤은 무척 흥겨웠다. 필자의 한글 특강을 들은 아이들이 필자가 개발한 한글춤 '하하호호'를 더욱 발전시켜 추기도 했다. 한글춤이야말로 세종을 기리는 춤이 아니겠는가. 아이들의 춤사위에 흠뻑 빠져들 수밖에 없었다. 가히 한글의 도시 여주를 대표하는 학교라 하겠다.

세종대왕의 모든 것을
간직한 곳

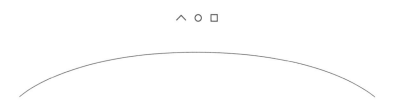

청량리역에서 고려대 쪽으로 2킬로미터쯤 가다 보면 세종대왕기념사업회가 운영하는 세종대왕기념관을 만날 수 있다. 세종대왕기념사업회는 1956년 10월 9일 한글날 기념식장에서 각계 대표들이 뜻을 모아 이듬해 세종대왕 탄신일 하루 전날 문을 열었다. 세종대왕기념사업회는 세종대왕의 성덕과 위업을 추모하고 이를 길이 보존·발전·계승시키기 위해 설립된 기관이다.

이곳에서는 세종대왕기념관과 세종대왕박물관을 운영하고, 세종대왕에 관한 문헌과 국학 자료를 편찬·간행하며, 세종대왕의

● 세종대왕기념관은
세종대왕과 관련해
가장 많은 자료를
보관, 전시하는 곳
이다.

유물과 유적을 수집해 보존한다. 또한, 한글과 관련된 고전을 번역하고 해설함으로써 세종의 한글 정신을 널리 알리고 있다. 한글의 정보화와 세계화 운동도 함께하고 있다.

　세종대왕기념관은 세종대왕의 찬란한 업적과 뜻을 전파하고 계승하기 위해 세종대왕 관련 유물과 유적을 수집·보존·전시하는 곳으로, 1970년에 세워져 1973년에 문을 열었다. 세종대왕을 기념하는 기념관 중 가장 많은 자료를 보관, 전시하고 있다.

　세종대왕기념사업회 뜨락에 들어서면 왼쪽에서는 세종성왕 기념탑과 한글의 ㅎ 자가, 오른쪽에서는 세종대왕 동상이 맞이해 준다. 세종대왕 동상은 원래 1968년에 덕수궁에 세웠던 것인데 2012년에 이곳으로 옮겨 왔다.

○ 세종대왕기념사업
회 뜨락에 들어서
면 왼쪽에서는 세
종성왕 기념탑과
한글의 ㅎ 자가, 오
른쪽에서는 동상이
우리를 맞는다.

신도비에 새겨진 한글 업적

세종대왕기념관 바깥에는 정인지가 쓴 세종대왕 신도비(보물
제1805호)가 있다. 무덤가에 있어야 할 신도비가 왜 여기에 있을까?
원래 세종대왕릉은 서울 서초구 내곡동에 있었다. 여주로 옮겨 가
면서 신도비는 땅에 파묻었는데, 그것을 1974년에 이곳으로 옮겨
왔고 2006년에 비각을 설치했다.

○ ∧ □

신도비는 돌아가신 분의 공덕을 칭송하는 글이니 매우 중요하고 소중하지만, 전부 한문이고 돌에 새긴 글이라 마모가 심해 읽을 수는 없다. 다행히 돌에 새긴 글이 《동국여지승람》에 실려 있어 현대문으로 번역하고 정리한 글을 볼 수 있게 됐다.

세종께서는 즉위하시기 전부터 천성이 학문을 좋아하시어 손에서 책을 놓지 아니하셨으며 침묵하고 말이 적은 등 위풍이 넘쳤다. 대위에 오르신 후로는 총명과 지혜가 만민에 우뚝하심이 뛰어난 성인으로서, 너그럽고 부드러운 기품은 백성을 용납하시고 대중을 기르시는 덕이 있었고, 물건을 제작하실 때는 홀로 지혜를 내어 힘차고 굳센 의지를 나타내시었으며, 위엄은 두려워할 만하고 본받을 만하며 단엄하고도 치우침이 없이 곧으시고 올바름이 공경심을 갖게 하셨고, 정밀한 뜻은 신과 같은 경지에 들어 조리 있고 분명하며 자세하게 분별하시었다.

날마다 이른 새벽에 일어나시어 동이 틀 때 조회를 받으시고 정사를 보신 다음 윤대하시고, 경연에 납시었다가 내전에 드신 뒤에도 글을 보시는 등 조금도 게으름이 없었으니, 정사가 제대로 행해지지 않은 것이 없고 일마다 제대로 되지 않는 것이 없었다.

_신도비문

세종대왕은 책을 많이 읽고 매우 좋아했기에 책의 효용성을 잘 알았다. 그래서 책을 통한 교화 정책을 무척 중요하게 여겨 《삼강행실도》(1434)를 펴내고, 책을 쉽게 읽을 수 있는 문자까지 발명(1443)했던 것이다. 또한 신도비의 글을 보면 세종대왕은 임금이기 이전에 뛰어난 학구열을 가진 큰 학자였다는 사실을 알 수 있다. 이처럼 비문은 세종의 품성과 학습 태도, 연구에 대한 열정 등을 고스란히 담고 있어 매우 가치 있다.

　《훈민정음》 해례본의 신하 측 대표 저자인 정인지가 비문을 작성했기 때문인지 훈민정음의 업적도 중요하게 언급해 놓았다. 다만 어떤 이유 때문인지는 모르지만 여기서는 1446년에 한 반포를 창제라고 표현해 놓았다. 반포식을 정식으로 하지는 않았고 창제 사실을 백성들에게는 처음 알리는 것이니 '창제'라고 적었는지

❯ 세종대왕 신도비의 마모가 심하지만 다행히 신도비에 적힌 내용이 《동국여지승람》에 실려 있어 그 내용을 알 수 있다.

○ ∧ ▢

도 모른다. 《훈민정음》 해례본 간행을 후손들이 편의상 '반포'라
한 것이다.

세종께서는 을축년(1445)에 근심과 과로로 병을 얻으시자 금
상 전하께 명하여 정무를 참결하게 하시었다. 병인년(1446)에는 훈
민정음을 창제하시어 말소리(성운)의 온갖 변화를 다 기록할 수 있
게 하시었는데, 오랑캐와 중국의 모든 말을 다 옮겨 적어 통하지 못
할 것이 없게 되었으니, 그 제작의 정미함은 고금에 뛰어나시었다.

_신도비문

1445년은 세종이 두 아들을 잃은 후 몸과 마음이 극도로 쇠약
해진 때였다. 그러나 《훈민정음》 해례본 간행을 마무리하기 위해
왕세자(훗날 문종)에게 정무를 보게 하고 마무리 작업에 힘을 쏟았
다. 왕세자가 정무를 잘 보고 세종을 잘 보필한 덕분에 세종은 《훈
민정음》 해례본 완성이라는 대업을 완수할 수 있었다. 어찌 보면
세종과 왕세자가 힘을 합쳐 대업을 완수한 것이다. 마침내 세종은
모든 백성들에게 자신 있게 새 문자를 알렸다. 정인지는 이러한 세
종의 업적을 적었고, 신도비문 막바지에는 슬픈 마음을 가누며 시
를 남겼다.

생각건대 왕의 성덕 만대토록 영원하리

대강을 삼가 적어 말씀새겨 바치나니

하늘처럼 땅처럼 영원토록 빛나오리

이제 한글이 한류 열풍을 타고 더욱 빛나고 있으니 정인지의 소망대로 이루어지고 있는 셈이다.

세종 일대기의 입체 전시, 세종대왕기념관

세종대왕기념관의 가장 큰 특색은 자체 기록화를 제작해 세종의 일대기를 한눈에 볼 수 있게 한 것이다. 세종대왕기념관은 4개의 실내 전시실(일대기, 한글, 과학, 특별)과 야외 전시실로 구성되어 있다. 먼저 일대기실은 세종대왕의 어진을 비롯해 세종대왕의 일생과 업적을 한국화로 제작해 전시하고 있다. 〈왕자 시절의 독서도〉, 〈즉위도〉, 〈대마도 정벌도〉, 〈주자소도〉, 〈전제상정도〉, 〈세종대왕 어진〉, 〈훈민정음 반포도〉, 〈집현전 학사도〉, 〈지음도〉, 〈측우기도〉, 〈내불당도〉, 〈이만주정벌도〉, 〈육진개척도〉, 〈강무도〉 등이 전시되어 있다. 이 중 〈강무도〉만 김기창 화백 그림이고 나머지는 모두 김학수 화백 그림이다. 〈훈민정음 반포도〉만 상상도이고 나머지

❶ 〈왕자 시절의 독서
도〉는 왕자 시절에 했
던 독서가 훈민정음
창제의 원동력이었다
는 사실을 보여 준다.

❷ 〈지음도〉는 세종이
절대음감으로 소리
연구의 바탕이 되는
음악 연구를 완벽하
게 했음을 보여 준다.

❸ 〈훈민정음 반포도〉
는 반포 당시의 모습
을 상상해 그린 상상
도이다.

★ 세종대왕박물관 소장

는 사실을 기반으로 한 그림들이다.

　이 중 훈민정음과 직접 관련된 그림은 〈왕자 시절의 독서도〉,
〈훈민정음 반포도〉, 〈지음도〉 등이다. 〈왕자 시절의 독서도〉는 세종
이 왕자 시절에 했던 독서가 훈민정음 창제의 원동력이었다는 사
실을 보여 주는 작품이다. 〈지음도〉는 훈민정음 창제 10년 전이던
1433년, 세종이 절대음감으로 소리 연구의 바탕이 되는 음악 연구
를 완벽하게 했음을 보여 주는 작품이다. 〈훈민정음 반포도〉는 기

록에는 없는 상상도이지만,《훈민정음》해례본 간행으로 훈민정음
을 널리 알린 가슴 벅찬 사실에 역사적 의미를 부여한 작품이다.

한글실에는 훈민정음 관련 서적과 세종 때 계획되었거나 간
행된 서적들이 전시되어 있다. 주요 보물들, 특히 한글 불경을 통
한 한글 보급에 중요한 역할을 한《능엄경언해》,《몽산화상법어약
록》,《금강경삼가해》 등이 전시되어 있다. 더욱이 세종대왕기념사
업회 온라인 누리집에서 이러한 언해서들의 자세한 번역과 주석까
지 제공하고 있어 누구든 쉽게 옛 책들을 읽을 수 있다.

한글실과 특별 전시실에는 인쇄와 출판을 위한 한글 글꼴과
자판 개발 관련 자료, 한글과 현대 우리 삶의 소통을 위한 아이디어
작품들이 전시되어 있다. 한글 글꼴 디자인 전시와 한글 문화상품
아이디어 작품 전시를 보면 장엄한 한글의 역사가 친숙하게 다가
올 것이다.

◗ 청농 문관효 붓글씨
본은 해례본의 세종
정신을 이어 가고자
하는 또 다른 품격을
보여 준다.

○ ∧ □

2018년부터 2층에는 《훈민정음》 해례본 현대 번역문(김슬옹) 전문을 최초로 쓴 청농 문관효 붓글씨본이 전시되어 있다. 해례본의 세종 정신을 이어 가고자 하는 또 다른 노력의 하나이다.

훈민정음 보급의 일등공신
신미대사

_ 충청북도 보은군 법주사 복천암, 정이품송공원

ㅅ ㅇ ㅁ

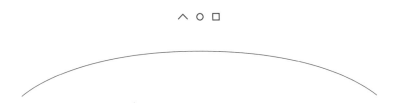

충청북도 보은군 속리산면 상판리에 가면 정이품송 소나무
가 있다. 1464년 세조가 법주사로 행차하는 중에 연輦(임금이 타는
가마)이 지나가기 쉽게 가지를 움직여 길을 열어 주어, 지금의 장
관급에 해당하는 정이품 벼슬을 받았다는 전설이 깃든 소나무이
다. 정이품송에서 대략 3킬로미터를 더 올라가면 복천암이라는 작
은 암자가 있는데, 이곳이 세종의 훈민정음 보급을 도운 신미대사
(1405?~1480?)가 거처하던 곳이다.

복천암으로 오르는 길에 들어서면 '오리숲길'이라는 커다란

ㅇ ㅅ ㅁ

새김돌이 있다. 새김돌 내용은 다음과 같다.

사내리 입구에서 여기 용머리 폭포를 지나 법주사까지 5리, 2킬로미터 구간 숲길은 1960년대만 해도 길 양편에 아름드리 소나무, 까치박달나무, 서어나무 등이 울창하여 수달과 하늘다람쥐가 노닐던 자연의 보고로 절경이었습니다. 오리숲길을 따라가다 보면 불법에 일심귀의한다는 일주문에 이르니 승과 속의 인연이 하나가 됩니다. 일상에 지친 중생들이 세속을 떠나 심신을 가다듬고 잠시 불문에 들어 번뇌로부터 벗어나게 되는 이 길은 누구나 한 번쯤 걷고 싶은 행복한 길입니다. 발걸음을 멈추고 잠시 생각에 잠겨 1464년 2월 28일 조선 세조 임금께서 어가를 타고 이 길을 지나 법주사를 거쳐 복천사에 3일간 머물면서 한글 창제의 주역이었던 "신미

● 복천암으로 오르는 길에 들어서면 '오리 숲길'이라는 커다란 새김돌이 있다.

대사의 법회를 듣고 마음의 병을 고치셨다” 하니 오래전 역사 속에 그날을 회상하며 “내가 가야 할 더 가치 있는 인생길”을 오늘 이 오리숲길에서 찾아보는 것도 뜻깊은 일이 되리라 믿습니다.

여기에 ‘한글 창제의 주역이었던 신미대사’라는 말이 나온다. 한글 창제는 세종의 오랜 꿈이었고, 그 꿈을 이룰 수 있도록 신미대사가 옆에서 도왔다는 것을 강조하려고 이렇게 써 놓았지만 이는 사실이 아니다. ‘한글 보급의 주역’이라고 해야 한다. 왜 그런지 기록을 통해 꼼꼼히 짚어 보자.

실록으로 보는 세종대왕과 신미대사, 그리고 훈민정음

《조선왕조실록》에 기록된 세종과 신미대사의 훈민정음 관련 사건을 한번 정리해 보자. 해례본 반포를 6개월 정도 앞두고 소헌왕후가 병으로 서거했다. 이틀 뒤인 1446년(세종 28) 3월 26일, 세종은 중궁의 명복을 빌기 위한 불경 편찬 사업을 본격화하려고 마음먹고, 사대부 신하들의 강력한 반대를 정면 돌파할 의지를 다졌다.

불경을 만드는 것을 그르게 여기는데, 어버이를 위해 부처님

께 명복을 빌지 않는 사람이 누구인가.

3월 28일, 또다시 집현전 학사들의 반대에 부딪힌 세종은 이번에는 이렇게 호소했다.

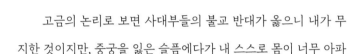

고금의 논리로 보면 사대부들의 불교 반대가 옳으니 내가 무지한 것이지만, 중궁을 잃은 슬픔에다가 내 스스로 몸이 너무 아파 고통스러우니 불교에 기댈 수밖에 없는 나를 이해해 달라.

성리학이라는 국시를 책임져야 하는 임금으로서는 불교를 반대하는 사대부들을 탓할 수 없었기에 이렇게 감성적 논리에 기댈 수밖에 없었던 것이다. 이러한 마음이 닿았는지 사대부들의 반발이 잠잠해졌다. 이에 세종은 집현전 학사 이영서, 왕실 비서실 돈녕부 주부이자 명필로 유명한 강희안에게 성녕대군의 집에서 불경을 금 글씨로 옮기게 했다.

두 달여에 걸친 작업이 끝나자 완성된 금 불경을 대자암으로 옮기고, 5월 27일부터 7일 동안 소헌왕후의 명복을 비는 법사를 열었다. 그때 모인 스님이 무려 2,000여 명이었다. 당시 행사를 주관했던 정효강이 신미대사를 극찬하면서 한 말이다.

우리 화상(큰스님)은 비록 국정 최고 기관에서 모신다 해도 무슨 부족한 점이 있으리오.

실록은 유교 국가의 입장에서 기록되었기에 사관은 신미대사를 '간승(요망한 중)'이고, 정효강의 말은 간승에 대한 아부쯤으로 기술하고 있다. 그러나 행사 주관자의 직접적인 평가인 만큼 이 법사에서 신미대사의 역할이 얼마나 컸는지 잘 알 수 있다.

이런 기록으로 짐작하건대 소헌왕후가 운명하고 불경을 간행하면서 세종은 신미대사를 알게 된 듯하다.《문종실록》1450년 4월 6일의 기록에서도 문종의 말을 전하고 있다.

대행왕(세종)께서 병인년(1446)부터 비로소 신미의 이름을 들으셨었는데…….

불경을 옮겨 쓴 지 넉 달 후에 해례본이 완성되었다. 이제 세종은 불경을 단순히 베껴 적는 수준을 넘어섰다. 아예 훈민정음으로 옮겨 왕후의 명복을 빎과 동시에 새 글자를 퍼뜨리겠다는 다중 포석을 놓았다. 이 일에 불경과 밀접한 관련이 있는 산스크리트어에 능통하고 훈민정음의 취지를 잘 아는 신미대사와 그의 동생 김수온만 한 적임자가 없었을 것이다. 이때 세종은 50세, 신미대사는

○ ∧ □

45세였다.

세종은 그 첫걸음으로 둘째 아들인 수양대군에게 《석보상절》 (1447년 완성, 1449년 간행)을 훈민정음으로 짓도록 명을 내리고, 본인도 직접 찬불가인 《월인천강지곡》(1447~1448년 간행 추정)을 훈민정음으로 펴냈다. 수양대군은 아버지를 옆에서 보좌한 덕분에 훈민정음에 대한 지식이 깊었고, 불교 신도나 다름없을 정도로 불교에 조예가 상당했다.

《석보상절》은 사대부층을 배려해 훈민정음보다 한자를 더 크게 적어 놓았다는 아쉬움은 있지만, 새 문자로 기록을 시도한 문헌으로서는 충분한 역할을 했다. 세종은 《석보상절》 편찬을 옆에서 관리 감독하며, 아예 《월인천강지곡》에서는 훈민정음을 한자보다 세 배 가까이 크게 했다. 창제자로서 언젠가는 훈민정음이 한자를 뛰어넘어 주류 문자가 될 것이라는 자신감이었다.

신미대사와 그의 동생 김수온이 불경 언해로 저술과 보급에는 공헌했다. 하지만 영화 등 일부 창작물에서 묘사하는 것처럼, 신미대사가 세종을 도와 훈민정음 창제에 이바지했다는 주장은 사실이 아니다.

복천암 입구에 있는 다리의 새김돌이 재미있다. 다리의 왼쪽에는 한글로 '이뭣고다리'라는 문구가, 오른쪽에는 이를 한문으로 번역한 '시심마교是甚麻橋'라는 글자가 새겨져 있다. 신미대사는 한글로 쓰는 세상을 원했으나 안타깝게도 불교계는 주로 후자를 따랐다. 사찰의 현판 글씨부터 기둥 주련 글씨까지 모두 한자로만 썼

❶ 복천암 입구에 있는 '이뭣고다리'와 '시심 마교'. 신미대사는 '이 뭣고다리'처럼 쓰는 세상을 원했다.

❷ '이뭣고다리'를 건너 면 신미대사가 머물던 복천암이 나온다.

다. 이 다리를 건너면 신미대사가 머물던 복천암이 나온다. 실제 사찰 이름은 '복천선원'이다.

　　신미대사는 충북 영동에서 정승까지 지낸 김훈의 맏아들로 태어났다. 출가 전 이름은 수성守省이었으며, 아쉽게도 언제 태어나고 죽었는지에 대한 정확한 기록은 남아 있지 않다. 유학자이자 관리였던 그의 둘째 동생 김수온(1409~1481)의 나이로 보아 신미대사는 1405년 무렵 태어났을 것으로 추정된다. 사망 연도는 신미대사의

○ ∧ □

유골을 모신 탑이 1482년에 세워졌으므로 이보다 한두 해 전으로 짐작할 수 있다. 신미대사의 어머니도 나중에 출가해 비구니가 되었을 정도로 불교와 밀접한 집안이었다.

수성이집현원학사득총어세종
守省以集賢院學士得寵於世宗

신미대사와 세종이 얼마나 가까운 사이였는지는 실록 곳곳에 기록이 남아 있다. 1448년(세종 30) 음력 9월 8일 기록에는 신미대사가 세종의 총애를 입고 동생과 함께 불경을 훈민정음으로 옮기는 일을 도왔다고 쓰여 있다. 1450년 음력 1월 26일 기록에는 신미대사를 침실 안으로 맞아들여 부처님 말씀을 베풀게 했으며 예를 갖추어 대우했다고 전한다.

세종이 서거한 후 1450년 음력 7월 6일 문종은 신미대사에게 '선교종 도총섭 밀전정법 비지쌍운 우국이세 원융무애 혜각존자禪教宗都摠攝密傳正法悲智雙運祐國利世圓融無礙慧覺尊者'라는 긴 법호를 내렸다. 아버지 세종 때의 높은 업적을 기리기 위한 예우였다. 그중 '우국이세'란 '나라를 위하고 백성을 이롭게 했다'라는 뜻이다. 단순한 호칭이 아니라 만백성에게 실제 도움이 되는 일에 큰 공을 세웠음을 의미한다. 글자를 모르는 백성들에게 새로운 문자를 베푸는 데 신미대사가 도움을 주었음을 증명하는 셈이다. 신미대사가 예종 때 훈

민정음으로 상소문을 올린 기록도 남아 있다. 훈민정음을 잘 알고
이 문자에 대한 자신감이 없었다면 힘든 일이었을 것이다.

　　신미대사가 세종을 많이 도왔을 것이라고 보는 증거는 매우
많다. 첫째, 신미대사의 가문인 영산 김씨 족보를 보면 신미대사의
원래 이름인 '수성'이란 이름으로 그가 집현원 학사를 지냈고, 세종
의 총애를 받았다는 뜻으로 '수성이집현원학사득총어세종'이라고
기록되어 있다. 집현전에서 실제 근무를 안 했다 해도 훈민정음 반
포에 큰 역할을 한 집현전의 일에 관여해 세종대왕의 총애를 받았
음을 알 수 있다.

　　둘째, 훈민정음을 반포한 뒤 세종은 불경을 훈민정음으로 번
역해 모든 백성들에게 알렸다. 사대부들에게는 성리학, 유교가 중
심이었지만 일반 백성들의 삶에서는 실제 불교가 더 가까웠기 때문
이다. 세종이 훈민정음을 반포한 뒤 가장 먼저 펴낸 책이 부처의 일
대기에 관한 《석보상절》과 찬불가인 《월인천강지곡》이었다. 세조
때 신미대사는 방대한 《원각경》을 비롯해 《선종영가집》, 《수심결》,
《몽산법어언해》 등의 책을 훈민정음으로 번역하는 데 참여했다.

　　셋째, 훈민정음이 반포된 이후 여러 기록에 불교의 상징적인
숫자가 곳곳에 숨어 있다. 《월인천강지곡》과 《석보상절》을 합해
편찬한 《월인석보》 첫머리의 '나랏말싸미 듕귁에 달아……'로 시
작하는 세종의 한글 어지御旨(임금의 뜻)는 불교의 상징적인 숫자인
108자이다.

○ ∧ □

❯ 세종의 한글 어지는 불교의 상징적인 숫자인 108자이다.

또한 《훈민정음》 해례본은 모두 33장으로 이뤄져 있고, 33은 불교의 우주관인 33개의 하늘을 상징하는 숫자이다. 훈민정음 기본자는 28자인데, 28은 사찰에서 아침저녁으로 종을 치는 횟수와 같다. 물론 28이란 숫자는 하늘의 별자리 수를 뜻하는 28과도 일치한다.

세종은 훈민정음 반포를 준비하던 1444년, 다섯째 아들인 광평대군을 잃고 1445년에는 일곱째 아들인 평원대군을, 그리고 반포하던 1446년에는 왕비인 소헌왕후를 차례로 잃었다. 이러한 극한의 고통 속에서 개인의 슬픔도 잊고 만백성과 함께하는 문자 탄생을 위해 부처의 말과 불경에 기댄 것이다.

❶ 정이품송공원 내 벽화에 신미대사의 한글 사랑과 세종대왕과의 만남을 객관적으로 기술해 놓았다.

❷ 공원 근처의 정이품송 조형물이다.

　　보은군은 이런 역사적 맥락을 널리 알리고자 처음에는 신미대사 중심의 훈민정음공원을 만들었다. 그러나 일부 역사 고증이 잘못돼 한글 단체들의 제안대로 내용을 바꾸어 정이품송공원으로 다시 만들었다. 훈민정음 반포의 조력자인 신미대사의 뜻을 후세에 널리 알리고, 그의 발자취가 남아 있는 보은군에 역사 문화 체험의 장을 제공하기 위해 재조성한 것이다.

　　그리고 공원 벽화에 신미대사의 한글 사랑과 세종대왕과의 만남을 객관적으로 기술해 놓았다. 보은군은 속리산 국립공원이라는

○ ∧ □

천혜의 자연, 그리고 불교의 숨결이 이어진 법주사의 역사문화 관광 자원, 세계문화유산에 등록된 훈민정음의 역사와 관련이 깊다. 보은군이 한글 세계화를 위한 훈민정음 역사문화 교육의 장이 되었으면 한다.

《월인천강지곡》의 꿈,
그것은 한글 주류 문자의 꿈이었다

세종대왕과 신미대사가 함께 꾸었던 《월인천강지곡》의 꿈, 이는 한글 주류 문자의 꿈이었다. 세종이 직접 쓴 《월인천강지곡》은 찬불가 곧 노래이다. 부처를 칭송하는 노래를 통해 한글이 널리 퍼지길 바랐을 것이다. 한자보다 한글을 크게 쓴 이유도 같지 않을까.

《월인천강지곡》은 노래 가사 형식이라 자연스럽게 한글 위주로 쓰였다고 짐작된다. 한글이 주류 문자가 되기를 바랐던 세종의 꿈이 고스란히 드러나 매우 인상적이다. 주류 문자에 대한 기대나 믿음 없이 세종이 그토록 거대한 문자를 만들었다고 보기 어렵다.

한글이 주류 문자로 쓰이려면 학문 도구로 쓰일 수 있느냐에 달려 있었다. 당대의 학문 전통이나 학문관으로 볼 때, 공자나 부처와 같은 성현의 말과 해석을 한글로 적을 수 있어야 주류 문자가 될 수 있었다. 그래서 《석보상절》, 《월인천강지곡》으로 간행하여 기능 측면에서 한글이 주류 문자임을 증명했다. 유교 경전인 사서를

❶ 《석보상절》(1447), 세조.

❷ 《월인천강지곡》(1447), 세종.

❸ 《월인석보》(1459), 세조 엮음.

번역하라는 지시 또한 그런 자신감에서 나온 것이다.

《훈민정음》 해례본에서도 이것을 분명히 하고 있다. 해례본의 서문에서 정인지는 최고의 평가를 내리고 있다.

글을 쓰는 데 글자가 갖추어지지 않은 바가 없으며, 어디서든 뜻을 두루 통하지 못하는 바가 없다.

○ ∧ □

스물여덟 자로써 전환이 무궁해, 간단하면서도 요점을 잘 드러내고, 정밀한 뜻을 담으면서도 두루 통할 수 있다.

정음 글자는 스물여덟뿐이로되, 깊고 복잡한 걸 탐구하여 깊이가 어떠한지를 밝혀낼 수 있다.

슬기로운 사람은 하루아침을 마치기도 전에, 슬기롭지 못한 이라도 열흘 안에 배울 수 있다.

이 글자로써 한문 글을 해석하면 그 뜻을 알 수 있고, 또한 이 글자로써 소송 사건을 다루면, 그 속사정을 이해할 수 있다.

_《훈민정음》 해례본 정인지 서문

훈민정음으로 어려운 한문 책을 풀어낼 수 있으니 학문을 할 수 있다는 말이다. 또 재판 과정을 정확히 적을 수 있으니 사건 해결에 도움이 되고, 억울한 죄인을 막을 수 있다는 말이다. 훈민정음

❯ 《월인천강지곡》을 붓 글씨로 쓰고 주해를 붙인 《월인천강지곡 상》 이다.(청농 문관효 글씨, 허웅·이강로 주해, 1999, 신구문화사)

의 핵심 가치와 효용성을 모두 담고 있는 표현이다. 오히려 한문으로는 이루기 어려운 학문과 각종 문제 해결 과정을 훈민정음으로 더 잘할 수 있게 된 것이다.

이와 같은 내용으로 볼 때 훈민정음은 말소리를 제대로 적을 수 있는 일반적 문자 기능은 물론, 학문의 도구로서 고등언어 기능을 가진 문자로 창제됐음을 알 수 있다. 따라서 세종의 한글 창제 동기에 담긴 주류 문자로서의 꿈을 가벼이 볼 수 없다.

세종 친제론(세종이 직접 한글을 창제했다는 주장)으로 한글 주류 문자의 꿈을 볼 수도 있다. 새로운 문자를 상상조차 하기 힘든 조선 사대부들 입장에서 볼 때, 세종 친제에는 새 문자에 대한 강한 의지와 자신감이 느껴진다. 만일 협찬설(집현전 학사들과 함께 한글을 창제했다는 주장)이 타당성을 지닌다면, 왜 세종이 직접 저술한 《월인천강지곡》에서만 한글 우위 표기를 했는지 설명하기 어렵다.

어느 날 세종이라는 천재가 하늘에서 떨어져 혼자 엄청난 발명을 한 것은 아니다. 역사가 세종을 만들었고, 세종은 훈민정음을 통해 그 역사를 다시 썼다. 세종이 아무리 천재성을 타고났다 해도 왕의 신분이 아니었다면 창제 자체가 불가능했을 것이다. 그러므로 역사가 세종을 만들었다는 맥락과 세종이 단독으로 한글을 창제했다는 사실을 혼동해서는 안 된다.

○ ∧ □

한글 탄압의 주인공 연산군과
한글 지킴이 정의공주

_ 서울시 도봉구 연산군과 정의공주 묘

ㅅ ㅇ ㅁ

한글 탄압으로 악명이 높은 연산군의 무덤과 한글을 지킨 공로로 칭송이 자자한 정의공주의 무덤이 같은 지역에 있는 이유는 무엇일까? 조선 10대 임금 연산군(1476~1506)은 성군으로 평가받는 성종의 첫째 아들로 태어났다. 성종은 세종에 견줄 만큼 학문을 좋아하고 어진 정치를 펼쳤지만, 여자를 좋아해서 부인이 많았고 건강이 좋지 않아 39세의 젊은 나이에 세상을 떠났다. 그 바람에 연산군은 18세의 어린 나이에 왕위에 올랐다.

연산군의 어머니는 예쁘기로 소문난 후궁 윤씨였는데, 시기와

질투를 한 죄로 사약을 받고 폐비가 되었다. 당시 연산군은 2세밖에 되지 않아 친어머니가 비참하게 죽은 사실을 임금이 되고 나서도 한동안은 몰랐다. 즉위 직후부터 이를 알았다는 설도 있고, 명나라에 성종의 행장을 보내는 와중에 외할아버지의 존재를 보고 실상을 알았다는 설도 있다. 정확한 기록이 전해지는 것은 아니다. 그러나 연산군은 원래 특출나지 않았지만 다정다감하고, 시 짓기를 좋아하며 감수성이 풍부한 사람이었음은 잘 알 수 있다.

한글을 심하게 탄압했던 연산군의 묘

서울 창동역에서 우이동행 버스를 타고 방학로 쪽으로 10분 정도 가면 '연산군묘'라는 표지판이 눈에 들어온다. 이곳 방학로 17길 옆 야산에 한글 탄압으로 악명 높은 연산군의 무덤이 있다. 운명의 장난인지 한글 반포에 공을 세운 정의공주의 무덤에서 1킬로미터밖에 떨어져 있지 않다. 공교롭게도 한곳에 공로자와 탄압자가 같이 있는 셈이다. 연산군의 아버지 성종은 세종과 세조 다음으로 한글 보급을 위해 애쓴 임금인데, 아들이 아버지가 쌓아 놓은 공적을 한순간에 무너뜨리고 말았다.

무덤이 있는 야산 옆은 원당공원으로 많은 사람이 찾고 있지만 이곳은 비운의 왕, 포악스러운 왕의 무덤이라 그런지 쓸쓸해 보인다. 왕족의 무덤은 크게 능과 원, 묘로 구분된다. 능은 왕과 왕후의 무덤이고, 원은 세자, 세자빈 또는 왕을 낳은 친아버지, 친어머니가 묻힌 곳이다. 묘는 그 밖에 왕족의 무덤을 말하는데, 연산군은 쫓겨난 임금이기에 '묘'라고 한 것이다. 연산군 시절의 기록도 다른 임금은 모두 '~실록'이라 하는데, 연산군의 경우에는 《연산군일기》라 부른다.

즉위 초기에 연산군은 전국 도에 어사를 파견해 지방관의 기강을 바로 세우고 민심에 귀를 기울였다. 이때는 백성들의 글을 비롯해 전국에서 올라온 투서 하나하나를 중히 받아들여 학문 발전과 안녕을 꾀하던 시기였다. 연산군이 흉포해지기 전인 1497년(연산군 3) 무렵이다. 연산군은 세종 때 만든 사가독서제를 다시 실시해 학문 연구를 더욱 깊이 하고 좋은 책을 편찬하고자 애썼다.

❯ 서울시 도봉구 방학동에는 한글 탄압으로 악명 높은 연산군의 무덤이 있다.

연산군에게 날아든 한 통의 한글 편지

그러던 연산군이 언제부터, 무엇 때문에 한글 탄압의 원흉이 되었는지는 기록에 또렷하게 나와 있다. 왕위에 오른 지 10년이 되는 1504년 7월, 연산군은 자신을 비판하는 투서가 한글로 쓰여 있는 것을 봤다. 다음은 크게 노한 연산군이 내린 명령이다.

언문을 사용하는 사람은 임금의 지시문을 찢어 버린 법조문으로, 그런 사실을 알면서도 신고하지 않은 사람은 임금의 지시를 위반한 법조문으로 따져 단죄할 것이다. 조정 관리들의 집에 보관된 언문 구결口訣 책을 다 불사르되, 한자를 번역한 언문 책 따위는 금하지 말 것이다.

아쉽게도 연산군의 분노를 산 투서가 어떤 내용이었는지 남겨진 기록은 없다. 연산군은 한글로 적힌 책을 불사르고 가르치지도 배우지도 쓰지도 못하게 했다. 여기에서 그치지 않고 한글을 아는 자는 물론, 한글을 아는 자를 알면서도 고발하지 않는 자까지 잡아들여 벌을 내렸다.

또한 양주, 파주, 고양 등 도성에서 가까운 고을의 인가를 헐어 사냥터로 만들고, 100리 안에 금표를 설치해 백성들의 출입을 금지했다. 이를 어기는 자는 사형에 처했다. 이 외에도 왕의 향락을

○ ∧ □

뒷받침하기 위해 온갖 세금을 거둬들였다. 백성들의 고통이 갈수록 심해져 연산군을 비난하는 괘서와 방문이 곳곳에 나붙고 궁중에 투서가 날아들었다. 이들 괘서와 투서들이 거의 언문으로 되어 있었기에, 연산군은 한글 교습을 중단시키고 언문 구결을 모조리 거두어 불태웠다.

이런 무시무시한 명령이 내려지자, 한글로 쓰인 책을 가지고 있던 사람들은 벌벌 떨며 책을 불태우거나 감추는 경우가 많았다. 아버지 성종 때 《삼강행실도언해본》을 전국 방방곡곡에 보급해 이미 한글 관련 책들이 꽤 퍼진 후였다. 연산군은 뒤늦게 생모 폐비 윤씨가 사약을 먹고 죽었음을 알고 공포정치의 신호탄을 쏘아 올렸다. 그 충격으로 연산군은 그만 이성을 잃고 흉포해진 것이다.

그런데 불행 중 다행으로 연산군은 한글을 전면 탄압하지는 않았다. 1504년 7월 22일 실록 기록을 보면, 한자를 언문으로 번역한 문서는 금하지 말라고 했다. 직접적으로 언문을 사용한 책은 불살라 없앴지만, 어려운 한문을 공부하기 쉽게 언문으로 번역한 것은 허락했다는 말이다. 연산군이 자신을 비난하는 도구가 된 한글을 배척하면서도 그 효용성만큼은 인정했다는 증거이다.

한글 탄압을 시작한 지 약 1년 뒤에는 공노비, 사노비, 양녀良女를 막론하고 언문을 아는 여자를 각 고을에서 두 사람씩 뽑았다. 여성들의 한글 사용을 장려하고 넓은 의미에서는 한글 발전에 기여하기도 했지만, 이것은 사실 그 여자들을 관기로 삼기 위함이었다. 이렇게 뽑은 여자들은 '흥청'이라는 기녀가 되기도 했다. 연산군이 홍청들과 밤낮으로 놀다 망했다고 하여 훗날 '흥청망청'이란 말이 생겼다. 연산군의 한글 탄압은 역설적으로 한글의 가치를 드러낸 최고의 사건이었다. 한글이 최고 권력자를 비판한 저항의 도구로 쓰였기 때문이다.

세종을 도운 절대음감의 정의공주 묘

서울 창동역에서 버스를 타고 10여 분 가면 도봉구 방학동 산 63의 1번지 야트막한 야산에 세종의 둘째 딸 정의공주(1415~1477)의 무덤이 있다. 그의 남편인 양효공 안맹담安孟聃과 쌍분으로 된 묘소인데, 왼쪽은 '양효안공의 묘'라 하여 정의공주 남편의 묘소이고, 오른쪽은 '정의공주의 묘'라 하여 공주의 묘소이다. 1469년(예종 1) 남편이 자신보다 8년 먼저 죽자, 정의공주는 그의 명복을 빌기 위해 《지장보살본원경》 상·중·하 세 권을 간행할 정도로 남편에 대한 사랑이 두터웠다.

이 묘는 안씨 집안의 묘소이기에 안씨 종중에서 관리하고 있다. 서울시 유형문화재 제50호로 지정되어 있지만, 평소에는 늘 자물쇠로 잠겨 있어 들어갈 수 없고 묘소 관리인에게 연락해야 한다. 공주가 신분은 더 높지만 시집가면 출가외인이 되는 조선시대의 풍습에 따라 남편 중심의 묘소가 된 셈이다. 그래서 남편 신도비만 있고 공주에 대한 특별한 조형물은 보이지 않는다.

○ ∧ □

　　정의공주는 세종이 훈민정음을 창제하고 연구하는 데 많은 도
움을 주었으나, 여성이었기에 오랫동안 이런 사실이 알려지지 않
았다. 현재 정의공주와 관련된 유적은 무덤밖에 없는 실정이다. 이
무덤도 오랫동안 일반인에게 알려지지 않다가 현대에 와서야 알려
졌다. 무덤이 있는 야산은 차가 씽씽 다니는 이면도로 옆이지만, 이
길 또한 1970년대 이후에 생겨서 오랫동안 산속에 고이고이 숨어
있었던 셈이다.

　　첫째인 정소공주는 일찍 죽었고 그다음이 첫째 아들 이향(문
종), 정의공주, 수양대군 이유의 순서이다. 그러니까 정의공주는 문
종의 바로 밑 동생이자 세조의 바로 위 누나이다.

　　정의공주가 63세의 나이로 죽었을 때 사관은 실록에 '공주는
총명하고 지혜로우며, 천문학과 수학을 잘해서 세종이 사랑했다'
고 평했다. 이 기록만으로도 정의공주가 매우 비범했음을 알 수 있

다. 당시 여성들은 비록 왕실 가문이라 해도 천문학이나 수학을 배울 일도 필요도 없었다. 그런데도 사관이 이렇게 기록할 정도라면 전문가 수준 이상의 실력이 아니었을까 하는 추측이 가능하다.

정의공주貞懿公主가 죽었다. 공주는 세종의 딸인데, 연창위 안맹담이 이와 결혼하였다. 공주는 성품이 총명하고 지혜로우며, 역산(달력 계산)을 해득하여서 세종이 사랑하였다.

_《성종실록》, 1447년(성종 8)

천문학과 수학에 능했던 정의공주

정의공주는 아마 아버지 세종의 영향으로 천문학과 수학을 잘했을 것이다. 세종은 천문학과 수학을 사랑했으며, 스스로 전문가 수준의 지식을 지니고 있었다. 세종은 장영실, 김한, 김자안 같은 과학자들이 마음껏 연구하고 업적을 이룰 수 있도록 중국으로 유학을 보내고 함께 연구하기도 했다. 해가리기(일식), 달가리기(월식)를 정확히 계산해 냈고, '일성정시의'라는 해의 움직임과 별의 움직임을 측정하는 다목적용 시계를 만들 정도로 천문학 연구와 발전에 힘썼다. 세종은 수학이 모든 응용 기술의 바탕이라 여기고, 정인지에게 수학책인 《산학계몽》을 배우며 자식들한테도 이를 공부하게 했다.

천문학과 수학은 한글 창제의 바탕이 되었다. 당시에는 하늘의 별자리를 28개로 나누었는데 훈민정음 기본자도 28자였다. 천문학은 과학의 바탕이었기에 천문학의 도움으로 과학적인 문자 훈민정음이 만들어진 것이다. 또한 하늘의 움직임을 연구해 해시계 '앙부일구'를 발명하고 한자를 모르는 백성들도 시간을 알 수 있게 했듯, 모든 백성이 스스로 배울 수 있는 쉬운 문자를 만들었다.

천문학과 수학에 능했던 정의공주도 아버지 세종의 훈민정음 창제를 많이 도왔을 것이다. 세종은 새로운 문자를 만든다는 사실은 숨기되, 소리와 문자 연구를 한다는 명목하에 신하들의 도움을 간접적으로 받았다. 이때 늘 가까이에 있던 명민한 자녀들은 연구의 좋은 동반자가 되었을 것이다.

출가외인인 공주의 일인지라 역사책에는 이런 얘기가 기록될 수 없었다. 대신 공주를 며느리로 맞아 가문의 영광이라 생각했던 죽산 안씨 집안 족보에 실린 기록을 보자.

세종대왕께서 훈민정음을 창제할 때 방언이 문자와 서로 통하지 아니함을 민망히 여기시고 변음토착變音吐着을 연구하여도 잘 풀리지 아니하여 모든 대군들에게 풀어 보도록 하였으나 모두 풀지 못하였다. 왕이 드디어 정의공주에게 명령하시니 공주는 즉시 연구하여 풀어서 올리니 이것이 지금의 언문이다. 세종대왕께서는 대단히 칭찬하시고 너무 기쁘시어 노비 수백 명 등을 하사하시었다.

_《죽산안씨대동보》

당시 족보는 나라의 역사 기록 못지않게 엄격하게 기록했다. 집안의 혈통을 다루는 만큼 결코 허구가 들어갈 수 없는 일이었다. '노비 수백 명을 하사했다'는 내용이 조금 과장된 것으로 보이지만, 이는 세종의 기쁨이 얼마나 컸는지 알게 해 준다. '변음과 토착의 문제를 풀어' 세종으로부터 '상을 받았다'는 기록은 지어냈다고 하기에는 어려운 내용이므로 사실로 보아야 한다. 당시의 상황을 상상해 보면 다음과 같다.

28자 창제가 막바지에 이른 어느 날, 세종은 훈민정음 창제를 도운 세 아들을 집무실로 불러들여 '변음토착' 문제를 논의했다. 정확히 어떤 내용인지는 기록에 남아 있지 않지만 이를테면 '몸'의 첫소리와 끝소리는 같은 소리이기도 하고 다른 소리이기도 하니, 끝소리 글자를 어떻게 만들지 고민이 되었을 것이다. 하지만 세 아들들은 이에 대해 이렇다 할 해결 방안을 내놓지 못했다. 아쉬워하던 세종은 자신을 닮아 절대음감을 지녔고, 천문학과 수학에도 능했던 정의공주를 떠올렸다.

정의공주는 이미 5년 전에 시집을 가 궁에 있지 않았기에 내시를 보내 의견을 물었다. 공주는 "'몸' 하면 첫소리는 터지고 끝소

○ ∧ □

리는 막히니 다른 소리이지만 토씨 '-이'를 붙여 보면 끝소리가 첫
소리가 되면서 다시 첫소리와 같아집니다. 이렇게 문자의 소리는
환경에 따라 달라지는 것이오니 문자 자체는 같은 모양으로 만들
어야 쉽게 배울 수 있는 글자가 되옵니다"라는 답을 했다. 이에 흡
족해한 세종은 많은 노비를 상으로 내렸다.

이렇듯 총명했던 정의공주는 새 문자 창제에 지대한 공헌을
했다. 한글 탄압의 오명을 남긴 연산군과 한글 창제와 반포에 크게
기여한 정의공주의 묘를 한 지역에서 같이 볼 수 있다니, 이 또한
나름 의미가 있다. 한글을 지키고 가꾸는 일의 소중함을 다시 한 번
되새겨 봐야 할 것이다.

우리말 사전 탄생의
주인공 이극로

_ 경상남도 의령군 두곡마을

ㅅ ㅇ ㅁ

경남 의령군 지정면 두곡마을은 우리말 사전 탄생의 최대 공로자인 한글학자 이극로가 태어난 곳이다. 이 마을은 의령군 읍내에서도 버스를 두 번 더 갈아타야 들어갈 수 있는데, 대다수 주민이 이극로 가문인 전의 이씨로 이루어진 집성촌이다. 낙동강과 남강이 합류하는 곳이자 근처에 홍의장군 곽재우의 전적지가 있는 작고 풍치 좋은 전형적인 시골 동네이다. 길 이름도 이극로의 호를 따서 '고루로'이다.

ㅇ ㅅ ㅁ

이극로 생가는 맏형의 맏아들이 1960년까지 살다가 사망한 이후로 먼 친척이 주말에만 와서 관리하고 있다. 17세기 말에 이극로의 7대조인 이응필이 고향인 충청도 전의를 떠나 이곳에 정착했다고 한다. 해방 무렵에는 150호에 가까운 많은 집이 사는 마을로 학생 수만 600명이 넘었다고 하나, 지금은 주민이 얼마 안 되는 작은 마을이다.

지산초등학교 옆에는 수령이 400년 이상으로 짐작되는 아름드리 느티나무가 마을의 상징처럼 우뚝 서 있다. 이 나무에서 마을 입구 반대 방향으로 500미터가량 더 들어가면 이극로의 생가인 두곡리 827번지가 나온다.

이극로는 이 집에서 20명의 식구와 함께 16세까지 살았는데, 맏형 이상로만 정식으로 서당 공부를 마칠 정도로 살림이 넉넉지 않았다. 그래서 이극로는 농사일을 하면서 틈틈이 서당을 기웃거리며 어깨너머로 글을 익혔다.

❯ 이극로 생가가 있는 두곡마을은 대다수 주민이 전의 이씨로 이루어진 집성촌이다.

유럽으로 건너가
베를린대학 철학부에 입학

이극로는 동네 서당 교육으로는 배움의 갈증을 채우지 못했다. 16세 때 더 배우고 싶은 갈망으로 가출해, 마산에 있는 기독교 계통 창신학교에서 신식 교육을 받았다. 이런저런 잡일로 생계를 꾸리며 1913년에 어렵사리 창신학교를 마치고 6년 남짓한 세월 동안 서간도, 만주, 시베리아를 떠돌았다. 중국 무송현 하북에 있는 백산학교에서 교편을 잡기도 하고, 대학 공부를 하고 싶은 마음에 러시아 상트페테르부르크까지 도보 여행을 하다 여비가 떨어져 인근 감자 농장에서 머슴살이를 하기도 했다. 이윽고 1919년 봄에는 상하이의 프랑스 조계租界(외국인 행정 자치 지구) 안에 있던 독일계 퉁지同濟대학 예과에 입학했다.

"시베리아에서 우연히 이극로를 만났는데 노자가 없어 서간도에서 걸어왔다고 말해 깜짝 놀랐다." 춘원 이광수의 회상이다. 이렇게 방랑을 거듭하던 이극로는 도중에 역사학자 신채호, 박은식, 대종교 간부 윤세복 등을 만나 더 큰 세상을 배울 수 있었다. 여러 독립운동가를 배출한 대종교의 영향을 받아 '세상을 고르게 한다'는 뜻을 담아 아호를 '고루'라고 지은 것도 이때의 일이다.

1920년 가을, 이극로는 퉁지대학을 중퇴하고 같은 고향의 후원자인 이우식의 도움으로 이듬해 유럽으로 건너가 베를린대학 철학부에 입학했다. 그곳에서 가난과 처절하게 싸워 가며 경제학 박사 학위를 받았다. 그리고 그는 독일 정부의 도움으로 베를린대학에 조선어과를 설치해 3년 동안 한국말을 강의했다. 이때 언어학, 철학, 인류학을 부전공으로 삼았다. 이후 영국 런던대학 정치경제학부를 거쳐 베를린대학과 파리대학에서 언어학과 한국어 음성학을 연구했다. 그가 남긴 육성 녹음이 유튜브에 공개돼 신선한 감동을 주고 있다.

조선어학회 사건으로 모진 고문

1929년 1월, 그의 나이 36세가 되어서야 태평양을 건너 귀국했다. 그는 귀국하자마자 곧 조선어연구회에 가입하고 단체를 실질적으로 이끌어 갔다. 그가 맡은 직책만 해도《조선어사전》편찬 집행 위원을 비롯해 한글 맞춤법 제정 위원, 외래어표기법 및 부수 문제 협의회 책임 위원, 조선어 표준어 사정 위원, 조선어학회 간사장 등 꽤 많았다. 훗날 조선어학회 수난으로 일본 경찰에 잡혔을 때, 최종 판결문에서 그의 업적을 죄목으로 명기했을 정도이다.

……일찍이 부진했던 조선어연구회라는 조선어 연구 단체가 피고인(이극로)의 입회 이래 피고인의 조선 어문에 대한 조예와 그 연구의 열의로 신명균, 이윤재와 피고인 최현배의 열렬한 지지 밑

❥ 이극로는 조선어학회 수난으로 일본 경찰에 잡혀 모진 고문을 받았다.(사진은 해방 이후의 그의 모습)

에 급작스레 활기를 나타내 조선어문의 연구단체 중 가장 유력한 단체가 되었을 뿐만 아니라…….

결국 모진 고문을 받고 6년 형을 선고받은 그는 해방 이틀 뒤에 풀려났다. 그리고 1948년 4월, 건민회 위원장 자격으로 백범 김구와 함께 평양에서 열린 '남북 제정당 사회단체 연석 회의'를 찾아 그곳에 남는 것을 선택했다. 이후에는 북한에서 과학원 조선어와 조선 문학 연구소장을 비롯한 요직을 거치며 우리말글을 위한 많은 일을 하다가 1978년에 운명했다. "한 시간 만에 한글을 다 배울 수 있습니다"라는 그의 말버릇처럼, 한글 교육에 앞장섰던 이극로는 일제강점기 때 누구보다도 우리말을 위해 물불을 가리지 않고 일한 사람이다.

1945년 광복 직후 최초로 만들어진 한글 노래는 조선어학회

○ ∧ □

간사장이었던 이극로가 직접 작사하고 채동선이 작곡한 노래이다.
짧지만 한글의 우수성과 과학성에 대한 자부심이 잘 담겨 있다.

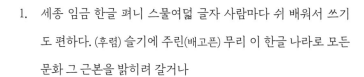

1. 세종 임금 한글 펴니 스물여덟 글자 사람마다 쉬 배워서 쓰기
   도 편하다. (후렴) 슬기에 주린(배고픈) 무리 이 한글 나라로 모든
   문화 그 근본을 밝히려 갈거나

2. 온 세상에 모든 글씨 견주어 보아라 조리 있고 아름답기 으뜸
   이 되도다. (후렴) 슬기에 주린(배고픈) 무리 이 한글 나라로 모든
   문화 그 근본을 밝히려 갈거나

3. 오랫동안 묻힌 옥돌 갈고 닦아서 새 빛나는 하늘 아래 골고루
   뿌리세. (후렴) 슬기에 주린(배고픈) 무리 이 한글 나라로 모든 문

❯ 1945년 광복 직후 조
선어학회 간사장이었
던 이극로가 직접 작
사한 최초의 한글 노
래이다.

한글 노래

화 그 근본을 밝히려 갈거나

_이극로 작사, 채동선 작곡 〈한글 노래〉

우리말글은 바로 우리 정신이요, 문화이다
《조선어사전》 편찬

이극로의 대표적인 업적은 우리말글 정신을 한데 모으기 위한 《조선어사전》 편찬이었다. 그는 긴 유학 생활 동안 전공인 경영학보다 우리말글을 지키고 가꾸는 일을 더 중요하게 여겼다. 그는 조선어를 통해 민족의식을 드높이고, 조선어를 민족 혁명의 바탕으로 삼아야 한다고 생각했다. 그래서 조국으로 돌아와 3개월 뒤인 1929년 4월에 조선어연구회에 가입하고, 10월에는 조선어 사전편찬회를 조직하고 간사장이 되었다.

그가 우리말글 운동에 앞장서게 된 동기는 외국 생활 중에 겪은 두 가지 충격적인 경험 때문이었다.

첫째는 동포들끼리 출신지 사투리가 달라 서로 소통하는 데 문제가 있다는 사실이었다. 이극로가 평안북도 창성에 들렀을 때 '고추장'이란 말이 통하지 않았는데, 그 지역에서는 고추장을 '댕가지장'이라고 불렀다. 이때 이극로는 기본 먹거리 용어조차 서로 통하지 않는다는 사실에 놀라움을 감추지 못했다.

둘째는 독일에서의 경험이었다. 베를린대학에서 조선어과를

○ ∧ □

창설하고 강사로 일하던 어느 날, 한 독일 학생이 왜 이극로의 말투와 자신이 아는 다른 조선인의 말투가 다른지 물어 왔다. 일제의 지배를 받다 보니 아직 조선어 표준말 제정을 하지 못하고 있다고 대답하자, 그 학생은 "그럼 조선말 사전은 있습니까?"라고 재차 질문을 던졌다.

훗날 이극로는 그때 우리말에 표준어가 있어야 하고, 이를 모아 놓은 사전이 있어야 한다는 것을 뼈저리게 느꼈다고 술회했다. 그는 귀국해 조선어학회 간사장이 된 다음 우리말 사전 편찬의 바탕이 되는 맞춤법을 만드는 작업을 제일 먼저 시작했다. 1930년부터는 맞춤법 제정에 본격적으로 매달렸는데, 그때까지는 일본이 만든 맞춤법을 사용해야 했기 때문이다. 우리가 우리말글의 진정

❯ 방언 수집. 조선어사전회에서 각 지방 방언을 수집하기 위하여, 4~9년 전부터 부내 각 중등학교 이상 학생을 총동원하여, 하기 방학 때 귀향하는 학생으로 방언을 수집하였던 바, 이미 수집된 것이 만여 점에 이른지라. 이것을 장차 정리하여 사전 어휘로 수용할 예정입니다. 그런데 여기에 방언조사란을 특설하였으니, 누구시든지 이 란을 많이 이용하여 주시기를 바랍니다._《한글》 27호 (1935년 10월호) 9쪽

한 주인이 되려면 우리 손으로 맞춤법을 만들고 표준어를 정해야 한다는 생각이 절박했다. 조선어학회 동지들은 '일 없는 사람은 들어오지 마시고 이야기는 간단히 하시오'라고 사무실 입구에 써 붙여 놓을 정도로 일에 몰두했다.

이러한 노력 끝에 더울 때를 나타내는 형용사는 '덥다', 무엇을 덮을 때의 동사는 '덮다' 같은 식의 우리말 맞춤법이 탄생하게 되었다. 141차례나 회의를 거친 끝에 오늘날 우리가 쓰는 맞춤법의 뿌리가 되는 맞춤법을 1933년에 제정할 수 있었다. 회의 때마다 서로 의견이 달라 싸우고 갈등도 있었지만, 이극로의 열정 앞에서 모두가 한마음으로 뭉칠 수 있었다.

사전 편찬이 바로 독립운동

이극로는 사전 편찬이 바로 독립운동이라 생각했다. 우리말글은 바로 우리 정신이요, 문화인데 사전조차 없다면 어찌 말과 글의 주인이 될 수 있느냐며 모두를 설득했다. 그러나 사전 편찬은 쉬운 일이 아니었다. 우리말글을 지켜 줄 나라가 없으니 편찬에 드는 큰 돈을 마련하기가 어려웠다. 이극로는 사전 편찬과 연구를 진행하면서도 돈을 마련하기 위해 백방으로 뛰어다니며 온갖 노력을 기울였다.

사전 편찬 소식을 접한 이들은 많은 도움을 보탰다. 각 지방의 말들을 적은 편지를 보내 주기도 하고, 서울에서 공부하던 학생들이 방학 때 고향에 가서 말을 수집해 오기도 했다.

수많은 지원자들의 편지 중에는 함경북도 길주군 성진에서 투고한 김여진이라는 사람의 것도 있었다. 편지에는 결의 서린 말이 있었다. '이곳 방언을 규칙 없이 두어 말 적어 드립니다. 백분지 일이라도 도움이 된다면 이 뒤에도 힘 있는 데까지 이어 적어 드리려 합니다.' 이런 열의로 가득한 편지가 대부분이었다.

그 노력 덕분에 1936년에는 표준말을 정하게 되었다. 예를 들어 '종다리, 노고지리, 무당새, 깝죽새' 등 지방마다 다른 이름들을 모아 놓고 '종달새'를 표준어로 정하는 작업이 마무리되니, 사전 편찬 작업에도 더욱 박차가 가해졌다. 사전은 표준말을 중심으로 올림말을 삼아 풀이해야 했기 때문이다.

2년 후 일제가 우리말글 사용과 교육을 금지하자, 이극로는 맞춤법과 표준말 제정을 마치지 않았으면 큰일 날 뻔했다며 가슴을 쓸어내렸다. 어려움이 닥칠수록 사전 편찬 작업은 계속되었다. 동지들은 일본의 감시망을 피해 똘똘 뭉쳐 1940년에 원고를 완성했지만, 조선어학회 수난으로 대부분이 체포되었다. 이극로 역시 주동 인물로 잡혀 모진 고문을 당했다.

해방 후 감옥에서 풀려난 이극로를 기다리고 있던 것은 원고가 분실되었다는 청천벽력과도 같은 소식이었다. 그래도 포기하지 않고 행방을 수소문하던 와중에 서울역장이 창고에 박혀 있던 원고지 2,600장 분량의 큰사전 원고를 발견했다는 낭보가 들려왔다.

이렇게 하여 가까스로 1947년 한글날에 첫째 권이 세상의 빛을 보게 되었고, 이것이 1957년 을유문화사에서 여섯 권으로 완성되었다. 오늘날 국어사전의 뿌리가 된 사전 말모이의 첫걸음이다.

1911년 주시경이 시작한 말모이, 사전 편찬 작업이 우여곡절 끝에 36년 만에 온 국민의 말모이로 태어난 것이다. 이는 우리 말과 글의 주권을 빼앗긴 역사를 보상해 주며 다시 찾은 모국어의 상징이 되었다.

❷ 조선어를 통해 민족의식을 드높이고, 조선어를 민족 혁명의 바탕으로 삼아야 한다고 생각했던 이극로의 저서 모음이다.

★ 고루 이극로 박사 기념사업회 제공

○ ∧ □

한글이 외면받던 시기에 세워진
한글 비석 유적지

_서울시 노원구, 경기도 포천시, 경상북도 문경시 문경새재

ㅅ ㅇ ㅁ

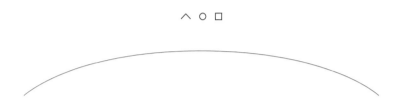

조선시대가 끝날 때까지 한글은 비주류 문자였다. 책이나 문서는 물론 비석도 대부분 한자로 쓰였다. 사실 지금도 대부분의 무덤 비석은 한자가 혼용되어 있거나 한문으로 쓰여 있다. 그러다 보니 한글로 쓰인 비석이 더욱 소중하게 다가온다.

서울시 노원구에는 매우 가치 있는 비석이 하나 있다. 1536년(중종 31)에 세워진 비석인데 놀랍게도 한글로 쓰여 있다. 한자에 비해 한글이 외면받았던 그 당시 분위기를 생각하면 이 비석은 그저 기적이라고 할 수 있다.

　이 비석을 세운 주인공은 최초의 한글 번역 소설인 《설공찬전》 필사본을 남긴 이문건이다. 이문건은 자신의 아버지인 이윤탁 무덤 앞에 한글로 쓴 비석을 세웠는데, 이를 신령스러운 비석이라고 해서 '이윤탁 한글 영비靈碑'라고 부른다. 이 비석은 아버지의 묘를 어머니의 묘와 합장할 때 묘소의 훼손을 방지하고자 세운 것이다.

　비의 높이는 143.5센티미터, 폭은 64.5센티미터, 두께는 19.3센티미터이며, 사각형의 받침돌은 가로 95센티미터, 세로 48센티미터로 회갈색의 화강암을 다듬어 만든 비이다. 비의 본문 끝에 '가정嘉靖 15년에 세웠다'라는 내용이 나오는데, 이때 가정 15년은 1536년(중종 31)을 의미한다.

　수도권에 있어 비교적 교통편은 많지만, 이곳을 찾기는 의외

❯ 이윤탁 한글 영비는 우리나라에서 가장 오래된 한글 비석이다. 안타깝게도 후손들은 한자 현판으로 가두고 있다.

로 쉽지 않다. 근처에 한글비근린공원이 있지만 실제 무덤은 그곳에 있지 않고 근처 아파트 단지 옆(하계동 12번지)에 있기 때문이다.

그런데 지금 후손들은 이윤탁 한글 영비를 다시 한자로 가두고 있어 몹시 안타깝다. 이 사실을 이문건 선생이 알게 된다면 얼마나 통곡할까. 이 한글 영비가 가진 가치를 한자 밖으로 꺼내올 수 있기를 바란다.

최초의 한글 번역 소설인 《설공찬전》 필사본을 남긴 이문건

이문건은 세종 때 영의정을 지낸 이직李稷의 손자이다. 그는 10여 세부터 책을 많이 읽고 글씨를 잘 쓰기로 유명했는데, 중종이 타계했을 때는 시호에 관한 글인 시책을 쓰기도 했다.

이문건은 형인 이충건과 더불어 조광조의 문하에서 학업을 닦고, 1513년(중종 8)에 형과 함께 과거 시험에 합격해 관직에 나아갔다. 그러나 1519년, 기묘사화로 목숨을 잃은 조광조의 문상을 다녀왔다는 이유로 귀양을 가야 했다. 1527년(중종 22)에 다시 풀려났으나 을사사화 때 또 죄인으로 몰려 성주에 귀양을 갔고, 결국 그곳에서 죽음을 맞이했다. 이문건은 무려 23년 동안 유배 생활을 하면서도 오로지 학문을 연구하고 시문에 힘을 썼다. 다행히 그의 일기가 남아 있어 그의 성품을 알 수 있다.

1997년에 국사편찬위원회는 세종 탄신 600주년을 맞아 전국의 한글 고서를 수집했다. 이때 이문건이 1535~1567년에 쓴 일기인 《묵재일기默齋日記》가 발견됐다. 일기는 한문으로 쓰여 있었는데, 놀랍게도 낱장 속면마다 '설공찬이'란 한글 소설이 총 13쪽(4,000여 자 분량)에 걸쳐 쓰여 있었다. 채수蔡壽가 쓴 《설공찬전》이란 한문 소설을 번역한 것이었다.

더욱 놀라운 것은 이 소설은 중종이 요사스러운 귀신 이야기를 담고 있다 하여 불태우라고 명령을 내린 소설이었다. 그 내용이 《조선왕조실록》에 자세히 기록되어 있었는데, 소설 원본은 발견이 안 되다가 한글본이 발견된 것이다. 조선 중기의 수필집 《패관잡기》에는 사건의 흐름을 이렇게 기록하고 있다.

채수가 중종 초에 《설공찬환혼전薛公瓚還魂傳》을 지었는데, 그 내용이 매우 괴이하다. 그 끝에 이르기를 "설공찬이 남의 몸을 빌려 몇 달 동안을 머물러 있으면서 자기의 원한과 저승에서 들은 일들을 아주 자세히 말하고, 또 말하고 쓴 것을 그대로 써 보게 하여 한 자도 틀리지 않는 것은 그것을 전하여 믿게 하고자 하는 것이다"라고 하였다. 언관言官이 그것을 보고 논박하기를 "채 아무개가 허황되고 거짓된 책을 지어서 사람의 귀를 현혹시키고 있으니, 사형에 처하소서"라고 하였으나, 임금이 허락하지 않고 파직시키는 것으로 그쳤다.
_어숙권, 《패관잡기》2, 한국고전번역원

○ ∧ □

아마도 한글을 잘 쓰던 이문건이 몰래 필사되어 돌아다니던 한글 소설을 옮겨 적어 놓은 것이 아닐까 추측된다. 허균의 《홍길동전》이 창작 소설이고 《설공찬전》은 번역 소설이기는 하지만, 표기로만 본다면 《설공찬전》이 최초의 한글 소설인 셈이다. 《설공찬전》의 첫머리를 현대 글로 보면 다음과 같다.

옛날 순창에서 살던 설충란이는 지극한 가문의 사람이라. 아주 가멸더니 저의 한 딸이 있어 (그 딸이) 시집갔으나 무자식하여서 일찍 죽고 (딸의) 아우가 있으되 이름이 설공찬이요 아명은 숙동이러니, 어릴 적부터 글하기를 즐겨 한문과 문장·제법(에 관한 책)을 몹시 즐겨 읽고 글쓰기를 아주 잘하더니, 갑자년에 나이 스물이로되 장가 아니 들었더니 병들어 죽거늘, 설공찬의 아버님이 불쌍히 여겨 신주를 만들어 두고 조석에 매일 울며 제사 지내더니, 병인년에 삼 년이 지나거늘

16세기 초는 한글이 꽤 많이 보급된 때였다. 1504년(연산 10)에는 익명의 한글 투서 사건이 일어났고, 1510년(중종 5)에는 한글로 번역한 《삼강행실》을 팔도에 간행하여 내려 보내기도 했다. 이를 감안하면 《설공찬전》 한글본 문제가 중앙 조정에서 문제되었던 1511년에는 한글본이 이미 널리 퍼진 상태였을 것이다.

더욱 중요한 사실은 이러한 한글 문학이 자발적으로 소통되었

다는 것이다. 《설공찬전》은 황당하지만 실제를 가장한 귀신 이야기가 지닌 재미 요소와 비판적인 사회의식이 결합된 문학이었다. 사헌부가 강력한 금서로 설정하지 않았다면 더욱 널리 퍼졌을 것이다. 다만, 16세기 초에 국가 주도로 훈민정음 보급에 힘쓴 데 발맞춰 민간에서는 문학이 훈민정음 보급에 분명 크게 기여한 듯하다.

이문건은 중종이 모두 없애라고 명령을 내린 채수의 소설 《설공찬전》의 한글 번역 일부를 자신의 일기인 《묵재일기》 뒷면에 남겨 한글 비석과 함께 중요한 역사 기록의 주인공이 된 셈이다.

《훈민정음》 반포 이래
최초로 한글이 새겨진 비석

이윤탁 한글 영비는 《훈민정음》 반포 이래 최초로 한글이 새겨진 비석이다. 더욱이 조선 500년 동안 가장 오래된 비석이라 가치가 더 높다. 비의 양 측면에는 한문으로 비를 세운 내력이 쓰여 있다. 부모를 위해 비석을 세우는 것이며 만세를 내려가도 가히 화를 면하기를 바라는 마음을 적었다. 지극한 효심으로 후세에 누가 이 비석과 묘를 해칠 것을 염려하는 마음에 호소한 글이다. 비의 서 측면에는 신령한 비석이라는 제목 아래 다음의 글이 훈민정음으로 적혀 있다. "이 비석은 신령한 비석이다. 비석을 깨뜨리거나 해치는 사람은 재화를 입을 것이다. 이것은 글 모르는 사람에게 알리는 것이다."

    당시 백성 중 한문을 읽지 못하는 사람들은 많았지만, 한글은 나무꾼이라도 읽을 수 있었으므로 한글로 적어 묘와 비를 훼손하지 않도록 경고했다. 이렇게 엄숙하고 신령스러운 마음을 담은 비석이라 그런지 약 500년 가까이 지난 현재까지 잘 보전되고 있다. 실제로 주민들은 이 비석을 신령스럽게 여겨 문화재로 지정되기 전까지 이 비석에 금줄을 치고 치성을 드렸다고 한다. 한글로 적힌 비석이라는 점에 효심까지 더해져 매우 특별하게 다가온다.

❯ 이윤탁 한글 영비에는 부모를 생각하는 이문건의 효심이 담겨 있다.

포천의 한글 영비와
문경새재 조령의 '산불됴심' 비석

포천에는 1686년(숙종 12)에 세워진 한글 영비가 있다. 포천의 한글 영비는 인흥군 이영李瑛의 묘역 경계에 세운 비석이다. 이 비석은 선조의 손자이자 금석학의 대가인 낭선군郎善君 이우가 전서로 크게 써서 세장지世葬地 입구에 세운 4면 표석이다. '大明'이란 글귀 아래에 새겨져 있는 문구이다. '이 비석이 극히 영험하니 혹시라도 사람이 훼손치 말라.' 비석의 훼손을 경계하는 문구가 이윤탁 한글 영비와 비슷하다.

문경새재 조령에도 한글로 쓰인 비석이 있다. 바로 '산불됴심' 비석이다. 이 표석을 누가 언제 세웠는지 정확히 알 수 없지만, 대

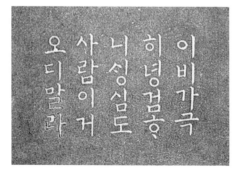

❯ 비석의 훼손을 경계하는 문구가
이윤탁 한글 영비와 비슷하다.

략 조선 후기에 세워진 것으로 추정된다. 그 이유는 비석에 쓰인 글귀에 있다.

'됴심'은 '조심'의 옛말이다. '좋다'의 옛말이 '둏다'인 것과 같은 변화이다. 곧 '됴심'이 구개음화되어 '조심'으로 바뀐 것이다. 이러한 구개음화는 임진왜란 이후 특히 17, 18세기에 많이 이루어져서 시기를 짐작할 수 있다. 이 비석 덕분에 이 지역에서 많이 발생하는 산불을 예방할 수 있었을 것이다.

● '산불됴심'이라는 글귀 덕분에 산불을 많이 예방할 수 있었을 것이다.

한글문화수도를 꿈꾸는 도시

_ 세종특별자치시

　한글문화수도를 꿈꾸는 세종특별자치시는 세종의 이름이 들어간 행정 수도답게 한글문화수도를 향한 힘찬 발걸음을 내디뎠다. 사실 세종의 업적은 과학, 국방, 예술 등 거의 모든 분야를 망라한다.

　그래도 한글 창제가 가장 빛나는 업적이라는 사실은 누구도 부인하지 못할 것이다. 세종시가 이름에 걸맞은 한글문화수도가 되어야 하는 이유도 거기에 있다. 한글문화수도를 꿈꾸기만 해서는 안 된다. 실제 그런 도시를 만들지 않는다면 일종의 직무유기이다. 다행히 세종시는 한글문화수도다운 면모를 갖추고자 지자체 차원에서 적극적인 노력을 하고 있다. 세종시에 가면 곳곳에서 아름다운 한글 이름들을 만날 수 있다. 또한 세종시 보람동 종합복지센터와 반곡동 복합커뮤니티센터 같이 한글 디자인, 한글 맵시로 지어진 건물도 많이 만날 수 있다.

세종의 꿈이자 한글의 가치를
담은 이응다리

세종시에는 시청 바로 앞 금강에 설치된 국내에서 가장 긴 걷기 전용 다리인 이응다리가 있다. 이응은 누구나 평등하게 지식과 정보를 나누라는 세종의 꿈이자 한글의 가치를 담고 있다. 그렇기

❯ 이응다리는 《훈민정음》 해례본 간행 연도인 1446년을 상징하는 1,446미터로 건설되었다.

에 이응다리는 온 국민이 함께 걸어야 할 길이다.

사실 세종시는 이응다리 하나만으로도 한글문화수도가 될 자격이 충분하다. 이응다리는 한글날의 기원이 되는 《훈민정음》해례본 간행 연도인 1446년을 상징하는 1,446미터로 건설되었기 때문이다. 한글날 10월 9일은 해례본이 간행된 1446년 음력 9월 상한의 마지막 날인 음력 9월 10일을 양력으로 바꾼 것이다. 최근에는 이응다리 지킴이로 로봇이 도입돼 크게 화제가 되기도 했다.

그런데 필자가 여러 번 방문해 보니 관련 문화 콘텐츠가 턱없이 부족했다. '행복한 한글 나무'와 '뿌리 깊은 나무' 같은 조각품 외에는 눈에 띄는 것이 별로 없었다. 왜 1446년이 위대한지, 왜 이응이 세종의 위대한 꿈을 담고 있는지처럼 가장 기본적인 내용을 담고 있지 않았다.

1446년은 인류 문명사에서 획기적인 일대 사건이 일어난 해이다. 인류 문명은 지식의 발전과 나눔으로 이룩되어 왔다. 그런데 1446년에 지식과 정보를 평등하게 나눌 수 있고, 누구나 쉽게 배울 수 있는 문자가 반포됐다. 세종은 《훈민정음》해례본에서 정인지의 입을 빌려 인류의 큰 지혜는 바로 《훈민정음》해례본에서 비롯되었다고 선언하고 있다.

또한 1446년은 인류 최고의 고전이 나온 해이기도 하다. 1997년에 세계기록유산으로 등재된 《훈민정음》해례본은 단순한 문자 해설서가 아니다. 시대를 초월해 많은 사람에게 참다운 가치를 심어 주는 책을 고전이라고 한다면, 33장 66쪽의 《훈민정음》해례본이 인류 역사상 최고의 책이 된다.

해례본은 그 시대로 보나 지금으로 보나 가장 빼어난 학문과 사상을 담고 있다. 그뿐 아니라 인류 문자의 꿈인 말하듯이 글을 쓰면서 사람들을 차별하지 않는, 이른바 민주주의의 기반인 언문일치의 꿈이 담겨 있다. 또한 그런 구실을 완벽하게 해낼 수 있는 문자 원리와 사용법이 담겨 있다.

세종이 1446년에 반포한 한글, 곧 훈민정음은 인류의 위대한 문자 혁명이자 정음 혁명이고 한글 혁명이었다. 이 혁명은 점과 직선과 동그라미라는 단순한 도형만으로 이루어졌기에 더욱 위대하다. 가장 단순한 도형으로 다채로운 소리와 복잡한 글자(음절자)를 생성해 내는 과학적이고 기적 같은 문자가 한글이다. 필자가 훈민정음 학자로서 직선과 동그라미를 보기만 해도 가슴이 뛰는 이유이다.

이응은 특히 세종의 놀라운 음성학과 문자학의 통찰과 눈썰미를 담았다. 붓으로 쓰기 어렵고 한자에 없는 동그라미를 세종은 해례본에서 컴퓨터 글꼴처럼 완벽한 원으로 만들었다. 여기에 놀라운 음성학적, 문자학적 비밀이자 과학이 들어 있다.

해례본 설명에 따르면 초성의 이응은 목구멍을 본뜬 글자로 지금 명칭으로는 후두유성마찰음이다. 목구멍은 단순한 통로가 아니다. 생명의 기운이 드나드는 문이며 말소리가 나오는 작지만 위대한 길이다. 보통은 인지하기 어렵지만 입을 벌렸을 때 들숨과 날숨이 드나드는 목구멍 후두 쪽의 상태, 소리가 있는 듯 없고, 없는

듯 있는 미묘한 소리의 세계를 담았다. 이것이 문자 발명에서 뛰어
난 이유는 가장 섬세한 음성학적 관찰과 분석 결과를 가장 단순한
도형 원리로 반영했기 때문이다.

이렇게 과학적이면서 철학적이며 미학적인 동그라미에서 여
린입천장소리인 연구개음 옛이응 글자가 나왔고 '하하하'의 ㅎ 글
자가 나왔다. 갓 태어난 아기가 자기를 낳아 준 부모에게 그리고 우
주를 향해 터뜨리는 '으앙, 응아'의 첫소리가 ㅇ이고 끝소리가 옛이
응이다. 15세기에는 옛이응이 초성에서 쓰이기도 했으니, 초성이
종성이 되고 종성이 초성이 되는 한국어와 한글의 돌고 도는 우주
의 과학과 철학을 담기도 했다.

이응만 보더라도 한글은 우주의 기상을 담은 우주다움의 문자
이다. 또한 한글은 사람이 사람답게 살기 위한 생명의 기운과 말소
리의 기원을 담은 사람다움의 문자이다. 세종시는 이응다리를 통
해 이응의 놀라운 과학과 신비를, 그리고 1446년의 위대한 문명사
적 의미를 뽐내고 빛낼 의무가 있다. 세계인들이 이응다리를 걸으
며 이런 가슴 벅찬 기운을 맛보고 체험할 수 있기를 바란다.

세종시청 건물 내부에도 세종 서문과 청년 세종 동상을 세웠
다. 젊은 세종인 충녕 캐릭터도 개발해 살아 움직이는 세종의 도시
로 발전하고 있다.

ㅇ ㅅ ㅁ

앞으로의 변화가 기대되는 한글공원

한글공원은 세종시청에서 걸어서 1시간쯤 걸린다. 한글공원 주차장이 따로 없어서 수루배마을에 주차를 하면 걸어서 한글공원 끝까지 약 30분 정도 걸린다. 한글공원 입구에 들어서면 세종대왕의 이름을 풀어서 만든 대리석 조형물이 반긴다.

철재 구조물이 터널식으로 되어 마을로 가는 다리가 있고 햇빛을 가리는 천장에는 훈민정음 정음편 예의의 내용이 쓰여 있다. 한글공원이지만 아직 아쉬운 마음이 든다. 좀 더 한글의 가치를 표현해 많은 사람이 찾도록 만든다면 좋을 것이다.

세종시는 한글로 누리는 세종, 한글로 가득한 세종, 한글이 보이는 세종을 만들어 세종시를 명실상부한 한글문화수도로 만들겠다는 의지가 강하다. 그래서 2023년 577돌 한글날 경축식을 세종

● 한글공원 입구에 들어서면 세종대왕의 이름을 풀어써서 만든 대리석 조형물이 반긴다.

● 이응다리를 소재로 한 제1회 한글 한국어
영상 공모전 대상 수상작(배유미)이다.

시에서 개최하는 꿈을 이뤘다.

또한 한글사관학교를 세워 한글 인재 양성의 중심지가 되는 꿈을 실현한다는 계획도 세우고 있다. 필자는 세종시에 세종학대학원 대학교를 세워 세종학을 바로 세우고, 전 세계에서 많은 인재들이 세종을 배우러 세종시로 유학을 오게 하라는 제안을 했다.

이제 세종이 인류의 대학자로 알려지긴 했지만 아직 세계인들이 두루 알지는 못한다. 우리나라의 초등학생들은 누구나 링컨을 알지만 외국에서는 대학생조차 세종을 모른다. 세종시의 꿈이 하루빨리 실현되어 전 세계 수많은 사람들이 한글을 배우러 세종시를 찾는 날이 오기를 바란다.

○ ∧ □

미완성 한글 유적지

_ 서울시 종로구 경복궁 영추문 근처 세종 생가,
전라남도 나주시 금안 한글마을

ㅅ ㅇ ㅁ

수백 년 전에 한글을 만든 세종과 뿌리 깊은 인연이 있지만, 아
직도 사람들의 관심 밖에 있는 유서 깊은 장소들이 있다. 위대한 한
글의 역사와 꿈을 담기 시작했지만, 아직 역사가 충분히 길지 못해
미완성인 장소들도 있다. 완성이라기엔 아직 갈 길이 먼 곳들을 하
나씩 찾아가 보자. 비록 미완성의 한글 유적지이지만 우리도 한글
을 위해 의미 있는 무언가를 할 수 있는 기회가 될 수 있지 않을까.

새김돌만 덩그러니 남아 있는
세종 생가터

　세종이 태어난 때는 조선 건국 5년 후인 1397년이고, 경복궁이 완공된 때는 1395년이다. 어린 세종은 아버지 이방원이 왕세자가 아니었기에 궁 밖에서 살았다. 세종이 태어난 곳은 경복궁이 아니라는 말이다. 한글을 창제하고 반포한 곳은 경복궁이었지만 태어난 곳은 궁 바깥이었다. 태어난 곳이 어디든 위대한 업적에 버금가게 그 흔적을 기려야 하는데 너무나 초라하게 기리고 있다.

　세종은 1397년 4월 10일(양력 5월 15일) 경복궁 서문인 영추문 근처 준수방(15세기 행정 구역)에서 태어났다. 지금으로 보면 서울시

❯ 현재 세종 생가터에는 1986년에
　세운 새김돌만 초라하게 서 있다.

○ ∧ □

종로구 통인동 137번지 일대이다. 당시 행정 구분은 동부 12, 남부와 서부 각 11, 북부 10, 중부 8, 합계 52방으로, 준수방은 북부 10방에 해당한다.

현재 세종 생가터에는 1986년에 세운 새김돌만 길가에 초라하게 서 있다. 그래도 종로구청이 2010년에 이 지역을 세종마을로 지정하고, '세종마을가꾸기회(이사장 조기태)'도 결성해 생가터 복원 운동을 벌이고 있다. 특정 집을 복원하기보다 특정 지역 성역화를 추진해야 한다는 주장이다. 그러한 취지에서 2015년 '세종대왕나신곳성역화국민위원회'를 발족해 세종대왕기념사업회 등과 함께 복원 운동에 힘을 쏟고 있다. 하지만 정부와 서울시의 적극적인 협조가 이루어지지 않아 더 이상 앞으로 나아가지 못하고 있어 안타깝다.

다른 나라를 보면 유명한 위인의 생가 복원은 당연한 일이고 기념관까지 세우는 경우도 심심찮게 찾아볼 수 있다. 독일의 괴테 하우스가 대표적이다. 괴테의 생가를 복원해 많은 외국인이 찾는 관광 명소가 되었다. 그런데 인류 문명사에 한 획을 그은 세종 생가터는 왜 이렇게 방치되고 있는 것일까?

사실 복원을 위한 노력은 꽤 오래됐다. 첫 시도로 1958년에 서울시와 한글학회가 공동으로 김영상 교수 책임하에 세종 생가터 찾기 조사가 이루어졌고, 서울시사편찬위원회는 〈세종대왕과 이충무공의 탄생지: 현지 답사 전말 보고〉라는 보고서를 제출했다. 이때 세종 탄생지는 경복궁 옆 준수방임이 옛 지도에 분명하게 나와 있다고 밝혔다.

  1965년 12월 17일 세종대왕기념사업회는 세종대왕기념관 건립을 추진하면서 세종대왕 전기를 간행하기로 결정하고,《세종실록》을 근거로 해 정안군(태종)의 집이 자리 잡은 한성부의 북부 준수방의 위치를 조사했다. 옛 지도에 보이는 대로 경복궁 서쪽 문인 영추문 바깥 길 건너쪽, 의통방 뒤를 흐르는 개천 건너편 일대이다. 청운동을 흘러내리는 한줄기 맑은 물과 옥인동으로 내려오는 인왕산 골짜기의 깨끗한 물줄기가 합쳐지는 조그마한 삼각 지대가 준수방 일대라고 추정했다. 이런 복원 노력을 존중해 1986년에 종로구 통인동에 생가터 새김돌을 세운 것이다.

  서울시는 생가터 위치 문제를 확실하게 하고자 2010년 1월, 2

❯ 세종대왕 생가터(태종 잠저) 추정지이다.

★ 〈세종 시대 도성 공간구조에 관한 학술 연구〉 123쪽

○ ∧ □

억 원의 예산을 들여 서울시립대 서울학연구소에 연구 용역을 주었다. 얼마 후 〈세종 시대 도성 공간구조에 관한 학술 연구〉 보고서가 나왔다.

곧 18세기의 도성대지도와 1912년 경기도 경성부 지적원도를 사용해 세종 탄생지의 고증 작업 끝에 1~3차 추정 지역을 정했다. 1차 추정 지역은 경복궁과 인접한 곳으로 18세기 도성대지도에 표현된 길과 백운동천을 중심으로 한다. 2차 추정 지역은 1차 추정 지역에 옥류동천과 무안군제택(자수궁지)을 경계로 확대한 지역이다. 3차 추정 지역은 1차와 2차 추정 지역에 영견방 본궁과 연못이 있었다는 점 등을 고려해 확대한 지역이다. 이러한 것을 고려해 세종대왕 생가는 역시 준수방 잠저인 통인동 일대로 추정됐다. 현재 세종대왕 생가터비는 자하문로 41에 세워져 있다.

미완성의 전남 나주 금안 한글마을

신숙주가 태어난 전남 나주 금안동은 현재 '금안 한글마을'로 지정되어 있지만, 예산 편성과 집행에 따른 지역 내부 갈등으로 마을 꾸미기가 중단된 상태이다.

신숙주는 어른이 돼서는 '범옹泛翁'이라 부르고 호는 희현당希賢堂 또는 보한재保閑齋라고 했지만 보통 '보한재'로 불린다. 한가로이 공부에만 열중하겠다는 뜻이 담겨 있다. 신숙주는 태종 17년인

❶❷ 신숙주는 전남 나주 금안동에서 태어났다.
(금안 한글마을 입구와 새김돌)

❸❹ 금안동은 '금안 한글마을'로 지정되었다.(신
숙주 생가와 한글마을 생가터 안내판)

1417년에 암헌공巖軒公 신장申檣(1382~1433)의 아들로 태어났다. 세
종 즉위 1년 전이었다. 신장이 이곳에 살면서 아들 다섯을 낳았다고
하여 사람들은 금안동을 '오룡동'이라고 불렀다. 신장은 호인 '암헌'으
로 불렸는데, 고려 공조참의 포시包혀의 아들로 남원부 호촌에서 출
생했으나 처가인 나주 금안동으로 이주해 이곳에서 신숙주를 낳았
다. 태종 2년(1402) 식년문과에 급제한 뒤 세종 때 공조참판 대제학
을 지낸 큰 학자였다. 큰 글자를 잘 써서 세종 원년(1419)에 평양 기

○ ∧ □

자릉 비문을 썼고, 숭례문 현판을 쓰기도 했다.

신숙주는 22세 때인 1438년(세종 20), 두 번의 과거에 붙어 동시에 생원과 진사가 되었다. 이후 25세 때인 1441년에는 집현전 부수찬을 지냈고, 1년 후에는 일본 사신단의 서장관으로 뽑혀 일본에 갔다.

폐가처럼 방치된 생가에는 신숙주의 업적을 언어학자, 음운학자, 외교관, 국방 업적, 편찬 등으로 정리해 놓았다. 훈민정음 관련 기록을 보니, 1446년 훈민정음 저술에 중요한 역할을 한 사실을 1443년 12월 창제에 도움을 주었다고 되어 있어 아쉬움을 남긴다.

사실 신숙주의 업적은 조선시대 그 누구보다도 앞선 것이고, 후손으로서 그가 이룬 공적의 혜택을 누리지 않는 이는 없다. 그런데 아직도 '숙주나물'이라는 말로 그의 업적을 폄하하는 경우가 많다. 이는 분명 바로잡아야 한다. 몸에 좋은 나물인데도 '빨리 쉰다'는 부정적 의미로 쓰면서 신숙주와 연계시키기 때문이다. 숙주나물이라는 말은 한 인물에 대한 역사적 마녀사냥이 얼마나 잔혹한 결과를 낳는지를 보여 준다.

《조선왕조실록》을 보면 변절의 이미지와 연결된 '숙주나물' 관련 설에 문제가 있다. 단종 1년(1453) 11월 4일 안평대군 역모 사건이 있었고 수양대군이 그 기미를 밝혀 역모자들을 제거했다. 그러나 어린 단종은 그 사건 이후에도 금성대군의 집에서 무사들이 모이는(1455) 등 불안한 거동이 끊이지 않자, 두려움을 느껴 역모 사건을 잘 해결한 수양대군에게 국정을 대리하도록 하다가 정식으로 왕위를 양위했다. 상왕이었던 단종이 또 다른 역모 사건에 연루되어 노산군으로 강등 유배된 일은 그 이후의 일이고, 단종이 정식 양위를 했으므로 세조의 신하가 된 신숙주가 변절했다는 말은 설득력이 없다.

_박대종, '신숙주와 숙주나물', 《주간 한국》(2011.12.2)

신숙주는 36세 때인 1452년(문종 2)에 수양대군이 명나라 사신 대표로 갈 때 서장관으로 함께 가서 외교관 역할을 했다. 이듬해에 수양대군이 이른바 계유정난을 일으켰을 때 출장 중이었으나 직·간접적으로 참여해 공신이 되고 곧 도승지에 올랐다.

이런 사실로 '변절자'라는 굴레를 씌웠으나 진정 그가 어떻게 살았는가를 보면 그런 평가는 옳지 않다. 44세 때인 1460년(세조 6)에는 강원도, 함길도의 도체찰사에 임명되어 야인 정벌에 출정해 국방 분야에서 큰 업적을 남겼다. 55세 때인 1471년(성종 2)에는 성종의 명으로 세종 때 서장관으로 일본에 갔다. 그 경험을 살려 일본과 외교할 때 지혜를 담은 《해동제국기》를 지어 조선시대 내내 지침서가 되었다.

○ ∧ □

굶주리는 백성들을 구한
구황작물 '숙주나물'

　'숙주나물'에 대한 이야기는 조선시대에 나온 여러 문집에 실려 있는 것으로 보아 조선시대 내내 입에 오르내렸던 듯하다. 이런 이야기를 박종화는 〈목메이는 여자〉에서, 이광수는 《단종애사》에서 받아씀으로써 더욱 널리 퍼지게 되었다. 그 과정에서 왜곡이 일어나 '녹두나물'을 '숙주나물'로 바꿔 부르기에 이른 듯하다. 신숙주의 직계손이 아니더라도 보통 억울한 일이 아니다.

　'숙주나물'의 어원을 보면 오히려 긍정적인 의미를 담고 있다. 가장 권위 있는 어원사전이라 할 수 있는 김민수의 어원사전에는 '옥소산인 어원 2제-'숙주나물'과 '春府丈'-(《한글》 81호(1940.11), 조선어학회)'을 인용하고 있다. 그러나 식이병원 윤석모 원장의 '약이 되는 음식 이야기(2005.4.7., KBS 라디오 방송)'와 《조선왕조실록》을 종합해 보면 오히려 기근을 해결하려고 애쓴 신숙주의 노력이 담겨 있다. 이 설이 더 신빙성이 있어 보인다.

　방송 내용을 요약해 보면 이렇다. 녹두 열매는 지금으로부터 550여 년 전에 우리나라에 들어왔다. 신숙주는 1462년 5월 20일 영의정부사에 임명되었다. 이 무렵 기근이 들어 굶주리는 백성들이 많았다. 그러자 신숙주가 빨리 자라고 쉽게 배불리 먹을 수 있으면서 영양이 풍부한 녹두 열매를 우리나라에 들여와, 콩나물처럼 물을 주어 키워 먹을 수 있도록 권장했다 하여 '숙주나물'이라 부르게 되었다는 것이다.

흔히 녹두에 물을 주어 키운 나물을 '숙주나물'이라 부른다. 숙
주나물은 콩나물보다 영양가가 풍부하고 녹두 열매로 먹을 때보다
영양 성분이 80배 정도 많다고 한다. 구황작물로서 숙주나물의 놀
라운 효능과 신숙주의 공적이 맥을 같이하고 있다.

원나라에 갔던 문익점은 붓통 속에 목화씨를 몰래 넣어 왔다.
그것이 씨앗이 되어 백성들이 따뜻한 옷을 지어 입게 되었다. 또한
일본 통신사로 대마도에 간 조엄은 1763년 고구마 종자를 얻어 부
산진에 보냈다. 1764년 8월 동래부사 강필리가 그 종자를 재배하
는 데 성공해 식량 문제를 해결했다.

'숙주나물'이란 말 대신 '녹두나물'이라고 하면 부정적인 이미
지가 덜하지 않을까 생각할 수도 있지만, 실제 그것은 불가능한 일
이다. 오히려 구황작물이었던 숙주나물의 어원을 더욱 널리 알려

나주 금안 한글마을 전경. 이제라도 생가를 복원하고, 신숙주의 업적을 제대로 기리는 한글마을이 되었으면 좋겠다.

○ ∧ □

긍정적 의미로 바꾸는 것이 훨씬 효과적이다. 이런 측면에서 역사 학자 이이화 선생의 신숙주에 대한 올곧은 평이 눈길을 끈다.

신숙주는 분명 우리 역사에 큰 문화적 업적을 남겼다. 신숙주 는 역사의 흐름에 떠밀려 갔을 뿐, 그 자신의 손을 더럽히지는 않았 다. 그는 비난받기에는 너무나 인간적이었고 깨끗한 벼슬아치였 다. 그의 행적은 보통 사람이면 아무렇지 않게 넘어갔을 정도의 것 이지만 그가 뛰어난 학자요, 세종과 문종의 총애를 받았던 신하였 기에 따르는 유명세라고 보아야 할 것이다. 그가 생육신처럼 초야

● 신숙주 초상은 성격, 인품 등을 잘 표현했고 예술적 가치가 뛰어나 1977년 보물로 지정되었다.

★ 충북 청주시 소장

에 묻혀 지냈더라면 역사에 업적을 남길 수 있었겠는가?

_이이화, '신숙주-무엇이 충절이고 무엇이 변절인가'

《인물한국사》, 다음 백과사전

이제라도 신숙주의 생가를 복원하고, 신숙주의 업적을 제대로 기리는 한글마을이 되었으면 좋겠다.

○ ∧ □

천 년의 문자,
한글 기념관과
한글마당

훈민정음 천 년의 문자 계획

_ 서울시 용산구 국립한글박물관

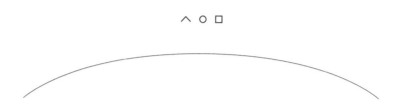

ㅅ ㅇ ㅁ

훈민정음은 천 년을 내다본 문자 혁명이자 기적이었다. 여기서 말하는 천 년은 실제 천 년일 수도, 시대를 한정하기 어려운 영원을 상징하는 시간일 수도 있다. 훈민정음의 역사는 실제 그러하다.

2013년 필자를 비롯한 여러 한글 운동가, 한글학자들이 훈민정음 천 년의 꿈을 가꾸고 키워 갈 문화관이나 박물관을 세우자는 데 뜻을 모았다. 그 마음이 2014년 10월에 국립한글박물관 건립으로 구현되었다.

미래로 향한다는 의미를 살리자는 취지에서 박물관보다는 문화관을 건설하자는 의견도 많았지만, 굳건한 역사의 주춧돌 없이는 미래도 세울 수 없을 터이니 박물관으로 정했다.

한글 역사를 돋보이게 하는
새로운 전시 방식

국립한글박물관은 세종로 광화문광장에서 멀지 않은 용산구에 자리 잡고 있다. 서울 지하철 4호선 이촌역 2번 출구에서 500미터 정도 떨어진 용산가족공원 근처인데, 이곳에는 국립중앙박물관도 있다. 그렇다고 국립한글박물관이 국립중앙박물관에 딸린 건물은 아니다. 오히려 국립중앙박물관을 더욱 빛내 주고 있다. 국립한글박물관은 한글 발전의 상징이자 대표 장소로서 한글의 가치를

❯ 관람 온 학생들로 붐비는 국립한글박물관은 한글의 우수성과 창제 정신을 널리 알리고자 세운 건물이다.

○ ∧ ▢

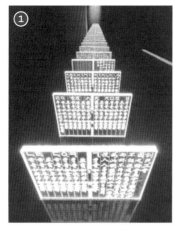

❶ 상설 전시관 앞부분의《훈민정음》해례본 33장 아크릴 전시물이다.

❷ 《훈민정음》해례본 용자례 마지막 부분의 한글 표기 낱말들이다. 드라마 제목인 '슈룹'과 '별'도 보인다.

모든 사람과 함께 나누기 위해 만들어진 곳이다. 연면적 1만 1,767제곱미터(약 3,560평), 전시 면적 3,500제곱미터(약 1,060평)의 공간에 지상 4층과 지하 1층의 구조로 이루어져 있다.

국립한글박물관은 한글의 우수성과 창제 정신을 널리 알리려고 세운 만큼 건물 외관에도 한글 정신이 담겨 있다. 한글 혁명의 핵심인 직선을 건물에 멋스럽게 녹여 낸 것이다. 한글은 누구나 쉽게 쓸 수 있는 직선 위주로 만든 문자라서 평등의 문자가 되지 않았던가.

한류, 한글 열풍과 더불어 국립한글박물관의 위상도 더욱 주

'천지자연의 소리가 있으면 천지자연의 글자가 있다'는 해례본 글귀와 두루미 소리도 문자로 적을 수 있다는 내용을 큰 화면으로 보여 주는 장면이다. 실제로 두루미 울음소리가 글자로 보이는 듯하다.

목받고 있다. 한글학교, 세종학당 등이 해외에서 한류의 든든한 확산지 역할을 하고 있다면, 국내에서는 국립한글박물관이 굳건한 한글 문화의 진원지 역할을 하고 있다.

특히 2022년부터 2층의 상설 전시관을 확 바꿔 '훈민정음, 천 년의 문자 계획'이라는 제목 아래 전시 내용과 보여 주는 방식을 더욱 품격 있게 했다. 실감 나는 영상과 관람객이 직접 체험할 수 있는 매체를 활용한 감각적인 전시 기법을 도입했다. 이 외에도 다양한 시도를 하며 한글의 위대함을 알리려는 노력을 하고 있다. 전시장 입구를 지나면 눈에 들어오는 《훈민정음》 해례본 33장 아크릴 연출 전시물이 나온다. 마치 켜켜이 천 년의 뿌리를 키워 새로운 천 년의 세월을 감당해 나갈 한글의 역사와 미래를 상징하는 디딤돌 같다.

지금의 기준으로는 얇다고 할 수 있는 66쪽 분량의 《훈민정음》해례본에 인류 문자의 기적이 담겨 있다. 이것을 보고 있으면 마치 팔만대장경 같은 거대한 책이 파도처럼 다가오는 듯하다.

벽면과 바닥면을 활용한 4면 실감 영상은 답답한 문자 생활을 했던 과거부터 누구나 쉽게 쓰는 오늘날 한글까지의 변천사를 생생하게 보여 준다. 증강 기법으로 구성된 이 동영상을 보고 있노라면, 《훈민정음》해례본 속으로 빨려 들어가는 착각에 빠져든다.

증강 현실을 도입해 옛날 책을 크게 확대한 모형 책을 관람객들이 넘겨 가며 내용을 볼 수 있게 하는 쌍방향 입체 책(인터랙티브 북)도 있다. 다분히 정적일 수 있는 박물관 전시에 생동감을 불어넣는 첨단 전시 기법이다.

이 중에서도 주시경이 말모이 원고를 교정하는 과정을 동영상 기법으로 생생하게 보여 주는 전시물이 단연 돋보인다. 조선이라

❯ 1911년 무렵의 주시경 선생의 말모이 원고의 교정 과정을 입체적으로 보여 주니, 노고가 일부나마 전해지는 듯하다.

는 나라가 망하고, 일제 조선총독부는 통치를 위해 자신들의 입맛에 맞는 조선어사전을 만들겠다고 나섰다. 당시 주시경과 그 제자들의 마음은 얼마나 타들어 갔을까? 밤새 원고를 쓰고 고치며 다듬어 나갔을 것이다. 그 과정을 입체적으로 보여 주는 장면을 보고 있자니 그들의 노고가 일부나마 전해지는 듯했다.

훈민정음 역사를 7부로 구성

상설 전시는 훈민정음 역사의 전체 흐름이 한결 쉽고 정확하게 들어오게 했다. '훈민정음, 천 년의 문자 계획'은 한글 창제와 반포의 큰 뜻이 담긴 훈민정음 역사와 내용을 세종이 쓴 서문에 따라 7부로 구성해, 전체 전시의 짜임새가 돋보이도록 했다. '나라의 말

❯ 임금부터 노비까지 다양한 계층이 주고받았던 편지 모음 전시이다. 한글 편지야말로 다양한 계층을 이어 주는 유일한 끈이었던 셈이다.

○ ∧ □

❶ 시아버지가 며느리에게 보낸 편지로 17~19세기의 것으로 추정한다.

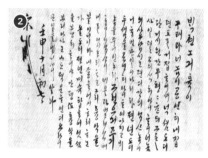

❷ 상전 송규렴이 노비 기축에게 한글로 쓴 편지이다.

★ 경기도박물관 소장

이 중국과 달라', '내 이를 딱하게 여겨', '스물여덟 자를 만드니', '쉽게 익혀', '사람마다', '날로 씀에', '편안케 하고자 할 따름이니라'가 그것이다.

대한민국 고등학생이라면 누구나 배우는 세종 서문을 활용한 아이디어가 탁월해 보인다. 예를 들어 '사람마다' 부분에서 신분과 관계없이 두루 쓴 편지를 소개하는 식이다. 정조의 어린 시절 편지부터 양반이 노비에게 쓴 편지, 시아버지가 며느리에게 쓴 편지, 돈 빌려준 사람이 돈 빌린 사람에게 쓴 편지, 남동생이 누나에게 쓴 편지 등 다양한 편지들이 한데 모여 전시되었다.

이 중 양반이 노비에게 보낸 편지가 눈길을 끈다. 1692년 10월 7일 날짜가 분명하다. 현대말로 옮겨 보면, 노비를 험악하게 꾸짖는 내용이다. 이 험악한 편지를 받는 노비도 한글 문식력이 있었을 것으로 짐작된다.

백천에 사는 노비 기축이(피류이)에게

다른 것이 아니다. 네놈이 공연히 내 집 논밭을 거짓 문서로 차지하여 넉 섬 도지賭地란 것이 워낙 볼품없는데, 그것을 일절 성실하게 하지 않으니 네놈의 사납기는 천지간에 없는 놈이다.

집을 떠나 있는 시아버지가 며느리에게 집에 있는 가족들의 안부를 묻는 도타운 편지도 있다. 한글 편지야말로 다양한 계층을 이어 주는 유일한 끈이었던 셈이다.

이제 한글은 한류를 앞서 이끄는 바탕 틀이 되고 있다. 한글을 응용해 더욱 윤택한 디자인, 멋글씨(캘리그래피) 같은 다양한 문자가 있는 일상이 너무나 당연한 세상이 되었다. 세상이 갈수록 정보화되고 스마트폰이 일상화되면서 한글 자체의 경쟁력도 힘을 발휘하고 있다. 앞에서 밝혔던 세종의 훈민정음의 꿈이 현실로 이뤄지고 있는 것이다.

ㅇ ㅅ ㅁ

한글이 목숨

_ 울산시 중구 외솔기념관

ㅅ ㅇ ㅁ

한글 역사에서 최현배 선생의 업적을 빼놓을 수 없다. 최현배는 약 50년간 한글 운동에 힘쓰고 국어 말본 체계를 확립하기 위해 노력했다. 최현배의 최대 업적은 일제강점기 때 맞춤법과 우리말 문법을 바로 세우고, 한글 역사를 저술한 것이다.

우리나라의 대표적인 공업 도시이자 많은 문화와 역사를 간직한 울산에서는 매년 한글날마다 '한글문화예술제'라는 축제가 열린다. 울산 중구에 최현배 선생의 호를 딴 외솔기념관이 들어선 덕분이다. 2009년, 선생의 생가터 옆에 세워진 이 기념관 일대는 한글마을이나 다름없이, 빼어난 국어학자이자 올곧게 겨레 얼을 지키고 가꿔 온 외솔 최현배의 한글 업적을 빛내고 있다.

한글특구로 꿈꾸는 이곳

이 지역은 외솔기념관이 세워진 이래 아예 중구 전체를 한글특구 또는 한글도시로 조성하려는 여러 시도를 하고 있다. 주민조례발안 청구 제도(주민이 직접 조례를 제정, 개정, 폐지를 청구할 수 있다)를 이용해 선생의 생가 주변 일대를 한글·역사·문화 마을로 조성하고자 노력하고 있다.

최현배는 1937년에 현대 문법의 토대가 된 《우리말본》이라는 책을 펴냈다. 무려 1,200쪽에 이르는 방대한 책이다. 주시경의 《국

❱ 외솔기념관은 지상 1층, 지하 1층으로 저서, 유품 등을 전시하는 전시관과 다목적 강당, 한글 교실 등이 있다.

어문법》이 세종 이후에 우리말을 처음으로 과학화한 책이라면, 최현배의 《우리말본》은 우리말 문법의 체계화와 과학화를 완성한 책이라 할 수 있다. 이 책은 '명사, 동사, 부사'와 같은 어려운 품사 이름 대신 '이름씨, 움직씨, 어찌씨'와 같은 쉬운 토박이말을 사용한 것이 특징이다. 최현배는 이 책 꼬리말에서 다음과 같이 적었다.

나의 《우리말본》이 드디어 한 권의 책으로까지 나왔다. 돌아보건대, 내가 조선말의 말본을 배우기 비롯한 지 스물일곱 해 만이요, 이 책을 짓기 비롯한 지 열일곱 해 만이요, 박기를 시작한 지 한 해 반 만이다. 그간에 나의 인간으로서의 행로가 그리 평탄하지 못하였다. 바람이 불거나 비가 오거나 세상이 어지럽거나 일신이 편치 않거나 오직 꼿꼿한 한 생각이 다만 이 일을 다 이루지 못할까를 근심할 뿐이었으니, 이에 오늘의 다됨으로써 나의 반생의 의무를 짐부리게 되었으니, 스스로 안심과 기쁨과 감사의 정을 막을 수 없는 바가 있다. ……(중략)…… 나의 평생 골몰한 소원은 이 책에서 끝난 것이 아니라 이 책이 조선말, 조선글의 끝없는 발달에 한 줌의 거름이 되게 함에 있나니, 이는 나의 남은 반생의 할 일이다.

맞춤법은 1933년에 조선어학회에서 제정해 우리말과 한글 정신을 더욱 드높였다. 그로부터 5년 후 일제는 우리말글 사용을 금지하고 가르치지도 못하게 했는데, 맞춤법이 미리 만들어지지 않았다면 어찌 되었을지 참으로 등골이 서늘하다.

맞춤법에는 한글 자음과 모음 명칭부터 아주 자세하게 쓰는 법이 나와 있다. 자음 명칭은 조선시대에는 최세진이 기역부터 이응까지는 '기역', '니은'처럼 읽고, ㅈ부터 ㅎ까지 여섯 자는 '지', '치', '키', '티', '피', '히'라고 정리해 놓았으나 '크', '트', '프'로 읽자는 등 다양한 의견이 나와 갈등이 심했다. 최현배는 '지', '치'도 '기역', '니은'처럼 '지읒', '치읓'으로 읽으면 첫소리와 끝소리에 다 쓰이는 닿소리의 특성을 살린 이름이 되지 않겠느냐고 했는데, 그의 말대로 정리된 것이다.

일제는 1938년 우리말글의 사용과 교육을 전면 금지했다. 1940년에는 우리의 성을 일본식으로 바꾸게 강요하는 법령을 공

❯ 조선어학회 수난으로 옥고를 치르는 최현배의 모습을 밀랍 인형으로 재현해 놨다.

○ ∧ □

포하고《조선일보》,《동아일보》등을 강제로 폐간하면서 우리말글 말살 정책을 밀어붙였다. 이렇게 어려운 시기인 1940년에《훈민정 음》해례본이 경상북도 안동에서 기적처럼 발견되었다. 최현배는 간송 전형필 선생의 도움을 받아 해례본이 세종이 직접 펴낸 책이 라는 사실을 자세히 밝혀냈다. 이를 한글 역사서인《한글갈》에 실 어 자랑스러운 우리말글 역사와 혼을 되살리는 계기를 마련했다.

최현배는《한글갈》을 출판하자마자 조선어학회 수난으로 투 옥되었다. 불행 중 다행이랄까.《한글갈》을 서둘러 끝내지 않았다 면 우리는 해례본과 한글에 관한 외솔의 저술을 못 보게 되었을지 도 모른다.

외솔, 올곧은 소나무의

기개로 살겠다

최현배는 고종 때인 1894년 경남 울산군 하상면 동리에서 최 병수의 맏아들로 태어났다. 외솔은 '올곧은 소나무의 기개로 살겠 다'는 의미로 지은 호이다. 생가는 외솔기념관 위에 아담하게 복원 되어 있는데 안채, 아래채, 부속채의 초가집으로 이루어져 외솔 선 생이 어렸을 때 어떻게 살았는지 상상해 볼 수 있다.

나라를 일제에 빼앗긴 1910년, 일반 학교에 다니고 있었던 17세 의 최현배는 본격적으로 우리말글에 눈을 떴다. 다름 아닌 주시경을

● 생가에서 외솔 한글 퀴즈
놀이를 하는 모습이다.

스승으로 만났기 때문이다. 최현배는 1913년까지 주시경이 세운 조선어강습원에서 우리말글을 배웠다. 배우는 틈틈이 방학 때는 시골을 찾아 우리글을 모르는 어린 학생들을 가르쳤다. 이렇게 주시경 선생으로부터 한글과 문법을 배우면서 우리말글 학자이자 운동가로서 삶을 살게 된 것이다.

　최현배는 큰 꿈을 펼치기 위해서는 넓은 데서 배워야 한다고 생각하고, 1915년에 일본으로 유학을 가서 1919년에 일본 히로시마 고등사범학교 문과를 졸업했다. 더 큰 세상에서 배우기 위해 일본으로 유학을 갔지만, '졸졸, 좔좔'과 같이 우리말의 정감이 잘 나타나는 시늉말(흉내말) 연구로 졸업을 할 만큼 타국 땅에서도 우리말 사랑을 이어 가고자 애썼다.

○ ∧ □

한글이 목숨,
한결같은 한글사랑 실천의 길

최현배는 울산시만이 아니라 대한민국 모두가 기려야 할 인물이다. 지금의 한글문화 탄생에 아주 많은 이바지를 했기 때문이다. 지금 학교에서 배우는 우리말 문법을 짜임새 있게 처음으로 완성했을 뿐 아니라, 한글 전용 세상을 위해 일생을 몸 바쳐 헌신했다.

1919년 고국으로 돌아온 최현배는 자유롭게 우리말글을 연구하고 가르치고자 물려받은 땅을 팔아 관비 유학금을 갚고, 동래고보(지금의 동래고)에서 교사로 근무하며 그 뜻을 이어 갔다. 또한 지역 문화를 위해서도 조선인 상권 확보를 하려고 공동 상회를 설립하는 등 노력을 이어 갔다. 27세 때인 1920년부터 그다음 해까지 경남 사립 동래보통학교 교사로 근무했다. 이후 다시 일본으로 가 히로시마 고등사범학교 연구과에서 수학하다가 32세에 일본 교토제국대학 문학부 철학과에서 교육학을 공부했다. 1925년에 '조선민족갱생의 도'를 《동아일보》에 연재하면서 본격적인 민족 운동가가 되었다.

최현배가 유학을 완전히 마치고 귀국한 1926년은 훈민정음이 반포된 지 480돌이 되는 해였다. 한글날인 '가갸날'이 제정된 해이기도 하다. 이때부터 연희전문학교 교수로 재직하면서 우리말 문법을 체계화하고, 한글의 역사를 정리한 《한글갈》을 저술하며 한글을 통한 민족 운동에 앞장섰다. 그가 39세였던 1932년, 한 식당 방명록에 남긴 '한글이 목숨'이라는 글이야말로, 최현배의 한글 연구를 통한 나라 사랑이 어느 정도인지 생생하게 보여 주는 증거이다.

1942년 조선어학회 수난으로 3년 동안 옥살이를 하다 해방 후에 풀려나 우리말글 연구와 운동을 이어 갔다. 말년에는 한글 기계화를 위해 애썼다. 한글 기계화란 한글을 기계로 입력할 수 있게 하는 것으로, 타자기나 키보드의 자판 배열 문제 등을 연구했다. 이렇듯 최현배는 일평생 한글 보급에 모든 힘을 쏟았다. '한글 전용에 과연 무슨 부작용이 있나?'라는 원고를 사망하기 전날 새벽까지 집필하기도 했다. 완성된 원고를 기자에게 넘기고 옛 동지 장지영을 만나 정담을 나눈 뒤, 집으로 들어서는 길에 쓰러져 1970년 3월 23일 새벽 77세의 나이로 생을 마감했다.

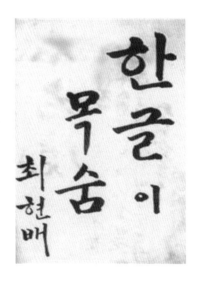

❯ 외솔 최현배가 1932년, 어느 식당 방명록에 남긴 글씨이다. 최현배의 한글 연구를 통한 나라 사랑이 어느 정도인지를 생생하게 보여 준다.

○ ∧ □

'얼말글', '말글얼', 말은 얼을 나타내고, 글은 말을 나타낸다

다시 최현배가 17세 무렵이던 1910년으로 돌아가 보자. 당시 최현배는 일본인 교사들이 가르치는 학교에 다녀야 했다. 이때 일본인 교장의 엄포가 그의 마음에 평생 남았다고 한다. "이제부터 대일본제국말을 '국어'라 불러야 한다. 조선말을 국어라 불러서는 절대로 안 된다. 제군들은 이 점을 명심하기 바란다."

그래서 최현배는 조선말, 조선글을 지키고자 마음먹고 우리말글을 공부하기 시작했다. 최현배의 스승 주시경은 '오직 하나의 큰 글'이라는 뜻으로 조선글을 '한글'이라 불렀고, 최현배 역시 스승의 뜻을 이어받았다.

해방 직후 최현배는 미군정청의 요청으로 문교부 편수국장을 맡아 교과서 만드는 일에 매달렸다. 그는 1947년 1월 10일까지 《한글 첫걸음》, 《한글 교수지침》, 《초등국어 교본》을 비롯한 교과서 12종을 편찬해 한글말 쓰기의 터전을 마련했다. '바둑아, 바둑아, 이리 오너라'로 알려진 정겨운 한글 전용 교과서를 만든 사람이 최현배이다. 우리가 자주 쓰는 '더하기, 빼기, 곱하기, 나누기'도 그가 다듬은 말이다. 원래는 '가감승제'라는 어려운 말이었다. 음악 시간에 배우는 '반올림표, 반내림표' 같은 말도 우리말을 더 쉽게 만들고자 한 최현배의 노력의 산물이다.

이런 노력과 더불어 최현배는 제헌국회의원들을 만나 설득을 거듭한 끝에 1948년 10월 9일 한글날을 기념해, 법률 6호 '한글 전용에 관한 법률' 제정에 많은 공헌을 했다. 하지만 '대한민국의 공용문서는 한글로 쓴다. 다만, 얼마 동안 필요한 때는 한자를 병용할 수 있다'는 규정을 삽입했기 때문에 온전히 한글만 쓰기까지는 더 많은 시간이 필요했다.

이후로도 이러한 노력은 지속되어 1968년 5월 2일, 한글 전용 5개년 계획이 국무회의에서 의결되었다. 또 1988년에는 한글 전용 신문인 《한겨레신문》이 모금을 통해 창간되면서 국민의 힘으로 한글 전용 시대를 열었다. 최현배와 모든 국민들의 노력이 결실을 맺은 것이다.

과학적인 글로 누구나 쉽게 쓰고 소통하게 하려고 했던 세종의 꿈은 최현배의 꿈이기도 했다. 비단 이들만이 아니라 말과 글로 사람다운 세상을 만들고자 하는 것은 전 세계 사람들의 공통된 희망 사항일 것이다. 우리나라는 다행히 한글이 있었기에 그 꿈을 이룰 수 있었다. 덕분에 어린아이들도 한글로 적힌 다양한 책을 쉽게 읽게 된 것이다.

한글은 우리 배달겨레의 정신문화의 최대의 산물이며, 세계 온 인류의 공탑이다. 이는 우리의 자랑이요, 또한 우리의 무기이다. 이를 사랑하며 부리는 데만 우리의 생명이 뛰놀며, 희망이 솟아나며, 행복이 약속된다.

_최현배, 《글자의 혁명》

《우리말 존중의 근본 뜻》이라는 책에서는 우리말을 다음과 같이 강조했다. 그래서 '얼말글', '말글얼'이란 표현이 생긴 것이다.

"말씨는 겨레의 표현일 뿐 아니라 그 생명이요, 힘이다. 말씨가 움직이는 곳에 겨레가 움직이고, 말씨가 흥하는 곳에 겨레가 흥한다. 여기에 겨레 다툼은 말씨 다툼으로 나타난다"라고 힘주어 말했다. 또한 "말이란 단순한 의사 전달의 연모가 아니다. 말은 얼을 나타내고, 글은 말을 나타낸다. 그러니까 얼과 말과 글은 셋이면서 하나다."

_최현배,《우리말 존중의 근본 뜻》

❯ 한글 운동의 길잡이가 된《우리말 존중의 근본 뜻》의 표지이다. 필자는 이 책을 읽고 한글 운동가와 한글학자가 되었다.

오랜 세월 한글 유물을 모으고 간직한
개인 한글박물관

_ 충청북도 충주시 우리한글박물관

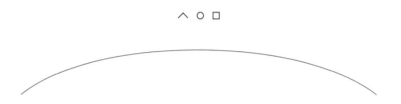

정책 차원에서 국가가 주도해 만든 국립한글박물관 못지않게 오랜 세월 한글을 보듬고 관련 유물을 모아 세운 박물관이 있다면 어떨까? 바로 그런, 한 개인이 모았다기에는 상상이 안 될 정도로 많은 한글 유물을 간직한 박물관이 있다. 충북 충주시에 있는 우리한글박물관이다.

김상석 관장은 어린 시절부터 유달리 수집을 좋아했다. 그는 곰방대와 떡살, 재떨이 등 생활 구석구석에 우리 정신의 뿌리라 할 수 있는 한글이 배어 있는데, 정작 이를 다루는 곳이 없다는 게 이

❶ 우리한글박물관은 개
인이 모았다고는 상
상이 안 될 정도로 많
은 한글 유물을 간직
하고 있다.

❷ ❸ 박물관 설립의 꿈을
품은 김상석 관장은
화폐, 옛날 책 등 한글
이 들어가는 것은 보
이는 대로 모았다.

해가 안 돼 직접 사립 우리한글박물관을 열었다. 국립한글박물관보다 5년 이른 2009년에 세워진 이곳은 이제 입소문을 타고 전국 각지에서 견학을 오는 명소가 되었다.

국립한글박물관보다 먼저 세워진
최초의 사립 한글박물관

김 관장은 1981년 우표와 화폐를 취급하는 가게를 인수하면서 본격적으로 한글 유물 수집에 나섰다. 그 가게는 당시 천안에서 가장 큰 백화점에 있다 보니 화폐, 옛날 책, 도자기 등 다양한 유물을 수집, 판매할 수 있었다. 그러던 중 한글 고문헌의 대가 홍윤표 교수를 만나면서 한글에 관한 책이나 문헌 수집을 제대로 시작하게 된 것이다.

이때 그는 일상에서 사용되는 한글을 다루는 공간이 있으면 좋겠다는 고민을 하게 되었다. 박물관 설립의 꿈을 품은 그는 한글이 들어가는 것은 보이는 대로 모으기 시작했다. 가사, 고소설, 도자기, 목판화, 수예, 고문서, 민속품 등의 한글 유물을 근현대사까지 가리지 않고 수집했다. 자주 다니던 고미술 경매장에서도 자신이 소장하지 않은 한글 관련 유물이 나오면 주저 없이 구입했다. 이렇게 모은 자료를 가지고 2007년 한국 고서협회 전시회에서 처음으로 한글 특별 전시회를 개최하고, 2009년 충주에 자리를 잡으면서 박물관 문을 열게 되었다.

우리한글박물관은 충북 충주시 외곽에 고미술점들과 함께 자리를 잡고 있다. 박물관 앞에는 돌로 만든 열두 띠 동물상이 오가는 이들을 반긴다. 언뜻 보기에는 허름한 시골집 같다. 그러나 이곳에 엄청난 한글의 역사가 숨을 쉬고 있다.

250제곱미터(75평) 남짓한 공간이지만 30여 년 동안 수집한 한글 관련 자료 5,000여 점이 빛을 발하고 있다. 한글 관련 고서와 생활용품, 도자기, 옹기 등에 이르기까지 거의 대부분의 품목이 있다. 우리한글박물관의 장점은 전시 품목의 다양함과 깊이에 있다. 《홍길동전》 같은 작품은 다양한 판본을 모두 소유하고 있다.

집중 전시, 특별 전시로
한글 역사를 아로새기다

우리한글박물관은 전시 공간이 좁다 보니 소장품 가운데 주제별로 200여 점을 가려 뽑아 상설 전시를 한다. 예를 들어 2013년에는 조선 말기의 음식 조리서 《음식방문》 필사본을 주제로 한 '한글 음식방문전'을 개최했고, 조선 시대 궁중에서 사용하던 주칠명문 소반, 한글이 들어간 음식 관련 생활사 자료 200여 점을 전시했다. 2014년에는 '한글 고소설뎐傳, 충주에서 만나다'라는 주제로 미발표본 고소설 《응조가》, 《광문자승현록》, 《춘향전》, 《홍길동전》,

《심청전》등 200여 점을 전시했다.

2015년에는 '해주 도자기, 한글을 노래하다'라는 주제로 특별
전을 개최하고, 100여 점의 한글 명문이 들어간 해주 도자기를 대

❶ 2014년 특별전 '한글 고소설뎐, 충주에
서 만나다' 안내 포스터이다.

❷ 우리한글박물관에 전시 중인 《응조가》
미 발표본 필사기이다.

○ ∧ □

중 앞에 선보이기도 했다. 150년 전부터 생산되어 온 해주 도자기에 유달리 한글이 많이 쓰인 이유는 무엇일까?

해주 도자기는 150년 전부터 생산되었습니다. 그런데 1894년 갑오개혁 이후에 신분 제도가 폐지되었지요. 관에서 일하던 도공들이 신분이 해체되어 전국으로 흩어졌습니다. 예를 들어, 봉산군 행주면 청송리 이영백이라는 도공이 만든 도자기에는 주소가 적혀 있고, '언문하시오'라는 글이 쓰여 있습니다. 그리고 그 옆에는 잉어 그림과 도화꽃을 물고 있는 그림이 있고, 그중에는 '어룡중', 즉 '고기가 용으로 변신하는 중'이라는 글이 있습니다.

❯ '한글을 노래하다'라는 주제로 열
렸던 특별전 안내 책자로 표지 그
림은 2015년 '해주 도자기'이다.

이 도자기에 당시 시대상이 드러납니다. 당시에는 백성들과 한글이 억압을 많이 받았습니다. 한글을 '언문'이라고 낮잡아 불렀지요. 이 도자기는 '언문'이 '한글'이라고 불리기 전의 작품인데, 글을 모르고 무식하다는 이유로 백성들을 부려 먹고 억압했다는 것을 알 수 있습니다. '언문하시오'란 말은 '공부하라'는 뜻입니다. 배워야 한다는 것이지요. 그래야 신분이 상승하니까요. 어변성룡은 '물고기가 변해 용이 된다'는 말인데 '출세'를 뜻합니다. '개천에서 용 난다'는 말과 같이 가진 것 없어도, 공부만 열심히 하면 용이 난다, 관리가 된다는 뜻이지요.

_김상석 관장, 우리한글박물관

우리한글박물관에서는 '2015 런던 국제 고서전'에 참여해 한글의 아름다움과 우수성, 활자의 정교함을 보여 주는 한글 금속활자본, 목판본 41점을 세계 무대에 선보였다. 2016년에는 영주 선비 문화 축제에서 '선비, 한글로 꿈꾸다'라는 주제로 특별전을 개최했다. 가장 기억에 남는 전시는 역시 '오래된 미래, 한글'로 김 관장의 애장품 100가지를 전시한 것이었다.

우리한글박물관에서는 다양한 체험 활동으로 역사 속의 한글을 우리의 삶으로 이어지게 하려고 노력하고 있다. 한글 목판 체험, 한글 문패 체험, 한글 떡살 채색 체험, 훈민정음 필통 만들기, 한글 궁중 윷놀이판 채색하기 등의 다양한 체험을 즐길 수 있다.

○ ∧ □

❶ 김상석 관장이 한글 놀이 기구 시범을 보이고 있다.

❷ 우리한글박물관 전시 소품으로 추억을 재현하고 있는 필자.

한글은 우리 겨레의 슬기가 집약된 자랑스러운 문화이자, 한 편으로는 우리가 아끼고 사랑해야 할 아름다운 우리의 유산이다.

_김상석 관장, 우리한글박물관

이윤재, 허웅
두 한글 거인이 자란 곳

_ 경상남도 김해시 김해한글박물관

2021년, 김수로왕릉이 있는 김해시에 한글박물관이 우뚝 섰다. 작지만 한글의 웅대한 역사를 간직하고 뽐내는 박물관이다. 국립한글박물관과 업무 협약을 맺어 주요 전시를 돌아가며 진행하고 있고, 지역 박물관으로서의 역할도 동시에 수행하고 있다.

상설 전시실인 제1 전시실은 일제강점기의 한글 수호 노력과 독립운동을 주제로, 제2 전시실은 한글의 과학화와 세계화, 그리고 왕실의 한글을 주제로 전시를 하고 있다.

ㅇ ㅅ ㅁ

▶ 김해시는 이윤재, 허웅이 태어나 자란 고장이니 한글박물관이 세워져야 할 이유는 충분하다.

김해시에 왜 한글박물관이 생겼을까? 한글학자이자 한글 운동가인 이윤재, 허웅이 태어나 자란 고장이라 그렇다. 두 사람이 한글 연구를 위해 세운 공헌과 업적만으로도 김해에 한글박물관이 세워져야 할 이유는 충분하다. 김해야말로 한글을 빛내는 도시라 해도 과언이 아닐 것이다.

이윤재, 흥사단에서 활동하며
우리말글 운동에 본격적으로 참여

이윤재는 원래 한문 공부를 많이 한 역사학도였다. 6세 때인

1893년부터 고향의 한문의숙漢文義塾에 들어가 10여 년 동안 한문 공부를 했다. 이후 김해 공립 보통학교를 거쳐 김해 합성학교와 마산 창신학교에서 국어와 국사를 가르쳤다.

1919년 평북 영변학교에서 교원으로 재직하던 중 3·1운동이 일어나자 참여했다. 그리하여 독립운동을 벌인 죄목으로 동지들과 함께 일제에 검거되었다. 그는 3년간의 옥중 생활을 마치고 마산으로 내려가 교직 생활을 하면서 예수교 청년 면려회장, 유년 주일학교장 등으로 활동했다. 이를 사임하고 중국으로 건너가 베이징대학 사학과를 졸업하고 귀국해 이승훈 선생이 평북 정주에 설립한 오산학교에서 교사 생활을 잠시 했다. 오산학교는 독립운동의 진원지로도 유명하다.

이윤재는 1925년 무렵, 본격적으로 우리말글 운동에 참여했다. 도산 안창호가 조직한 민족 혁명 수양단체인 흥사단 활동에 가담하면서부터다. 조선 사람에게 조선말 사전이 한 권도 없다는 현실에 그는 조선어연구회 동지들과 더불어 국어사전 편찬을 준비하기 시작했다. 1929년 10월 31일 한글 기념식날, 서울 수표동 42번지 조선교육협회 회관에 모인 각계 유지 108인의 발기로 이극로와 더불어 '조선어사전 편찬회'를 조직했다. 그리고 범국민적인 국어사전 편찬을 위한 편찬 위원회 집행 위원을 맡았다. 사전 편찬을 위해 중국 상하이에 망명 중인 김두봉을 만나러 갈 정도였으니, 우리말 사전에 대한 그의 열정이 어느 정도인지를 짐작할 수 있다.

1930년 2월에는 조선총독부의 보통학교 언문 철자법 세 번째 개정 위원회에서 활동했다. 12월에는 혼란에 빠진 문법의 확립과 맞춤법의 통일을 위해 권덕규, 최현배, 김윤경 등과 함께 한글 맞춤법 통일안 작성 위원으로서 주요한 역할을 했다. 이듬해에는 조선어학회에서 베푼 여름 한글 강습회 일로 평양, 선천, 정주, 황주 등지에서 순회 강연을 하며 한글 교육에 관심을 쏟았다. 이런 순회 강연은 4년 동안이나 이어졌다. 《동아일보》에서 나온 한글 교재도 이윤재가 쓴 것이다.

❯ 일제강점기와 미군정기의 민간 발행 한글 기초 교육 교재들

《한글 원본》(장지영, 1930, 조선일보사)

《한글 공부》(이윤재, 1933, 동아일보사)

《문자 보급 교재》(한글 원본, 방우영, 1934, 조선일보사)

《문자 보급 교재》(한글 원본, 방우영, 1936, 조선일보사)

《계몽야학회 속수 독본》(이호성, 1938, 조선어학회)

《한글 첫걸음》(이호성, 1945, 군정청학무국)

1932년에는 조선어학회 기관지 《한글》을 편집자 겸 발행인이 되어 간행했다. 창간호(5월호, 10월 2일 간행) '한글을 처음 내면서'에서 이윤재는 다음과 같이 말했다. "우리 조선 민족에게는 좋은 말, 좋은 글이 있다. 특히 한글은 모양이 곱고, 배우기 쉽고, 쓰기 편한 훌륭한 글이다."

그런데도 한글은 푸대접을 받았는데, 40여 년 전에 주시경이 바른길을 열어 주었고 그 뜻을 따르는 이가 적지 않아 《한글》지를 내게 되었다고 이윤재는 말했다. 또한 묵정밭같이 거칠어진 한글을 잘 다스려 옳고 바르고 깨끗하게 만들어 놓지 않으면 안 된다며 《한글》지를 내는 뜻을 거듭 강조했다. 그의 울분을 들어 보자.

우리 글이란 훈민정음 이후 그릇된 그대로 정리 못된 그대로 버려두어 오늘날까지 내려왔으매, 지금은 각 사람 각자가 제멋대로 쓰는 것이 각기 법이 되어 종작을 잡을 수 없으며, 오늘날 이렇게 불규칙 무통일한 글이 되고 말았다.

_이윤재, 《한글 맞춤법 통일안 제정의 경과 기략》

❯ 《동아일보》에서 발간한 《한글공부》 표지(1933)이다. 이윤재는 평양, 선천, 정주, 황주 등지에서 순회 강연을 하는 등 한글 교육에 관심을 쏟았다.

○ ∧ □

● 1933년 화계사에서 열린 한글맞춤법 통일안 제2독회를 마치고 찍은 사진으로 맨 뒤 오른쪽에서 두 번째가 환산 이윤재이다.

조선어학회 사건으로 투옥된 33인 가운데
가장 먼저 감옥에서 순국

이윤재 무덤의 비문을 보면 그가 조선어학회를 위해 얼마나 애썼는지 알 수 있는 글이 김윤경의 필체로 절절하게 적혀 있다.

《한글》 편집을 홀로 맡아 출판하기에 골몰하시는 가운데 씀이 부족하면 사천을 들여 발행을 계속하기로 하고, 혹은 전당을 잡히거나 저작권을 팔아 보태기도 하였으며 또 《동아일보》,《조선일보》, 그 밖의 신문과 잡지에 글을 실어 새 맞춤법을 널리 펴며, 혹은 선조들이 끼친 문화의 역사를 소개하였고, 또 사전 편찬에도 종사

하였다. 청백한 공은 끼니가 없어도 태연하였다. 그리고 공은 늘 빈곤한 중에 값없이 또는 몸을 돌보지 아니하고, 일만 많이 한 탓으로 때로는 빈혈증으로 졸도도 하고, 때로는 객혈로 넘어지기도 하였었다. 그러나 아무 갚음이 없고, 빈곤만이 따르는 공에게 또다시 액운이 닥쳐왔다. 4270년(1937) 6월 7일 동우회 흥사단 사건으로 검거의 선풍이 일게 되자, 공은 서대문 감옥에서 한 해 동안 욕을 당하게 되었으니, 이 두 번째 영어囹圄의 고초다.

이윤재는 조선어학회 사건으로 투옥된 33인 가운데 가장 먼저 감옥에서 순국했다. 건강도 안 좋았지만, 일제의 고문이 유독 심했기 때문이다. 조선어학회 일을 가장 오래 열심히 했을 뿐더러, 중국 상하이에서 활동 중인 좌익 독립운동가 김두봉을 만난 적이 있어 더욱 모진 고문을 받은 듯하다. 이윤재 평전을 처음으로 펴낸 박용규의 이야기를 들어 보자.

일제는 조선어학회가 대한민국 임시정부와 연관되어 독립운동을 하고 있다고 보고, 조선어학회와 관련된 인사들로부터 어떻게 해서든지 자백을 받아 내고자 고문도 마다하지 않았다. 특히 이윤재가 1929년 8월에 임시정부에 관여한 김두봉을 만나고 돌아와 그에게 생활비에 보태라고 200원을 보내 준 일이 있었다. 당시로서는 상당한 금액이었다. 일제는 이 일을 빌미로 조선어학회가 상

○ ∧ □

해 임시정부와 내외 호응하여 독립운동을 일으키려고 대한민국 임시정부 요인인 김두봉에게 돈을 걷어 보냈다고 억지 각본을 썼다. 김두봉을 만난 사람이 이윤재였기에, 홍원경찰서에서 일제 경찰의 고문은 이윤재에게 집중되었다. 김두봉을 만난 일 이외에도 이윤재는 3·1운동에 활동한 일, 중국에서 유학한 일, 조선의 독립을 목적으로 수양동우회에 가담한 일, 진단학회에 가담한 일, 이순신을 성웅으로 신봉한 책자를 지어낸 일 등에 관한 문초를 가혹하게 받았다.

_박용규(2020), 《우리말·우리역사 보급의 거목 이윤재》, 역사공간

이윤재가 이렇게까지 심하게 고문을 당한 데는 보이지 않는 배경도 있다. 일제가 가장 싫어하는 부류가 좌익계 독립운동가였는데, 이윤재가 만난 김두봉이 그랬기 때문이다. 김두봉은 1910년

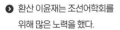 환산 이윤재는 조선어학회를 위해 많은 노력을 했다.

 ★ 한글학회 제공

에 조선어강습소에서 주시경을 만나 수제자가 되었다. 주시경이 죽은 이후에는 뜻을 잇는 후학으로 활동했다. 그러다 3·1운동에 적극 참여한 죄로 일본 경찰에 쫓겨 중국으로 망명해 좌익계 무장 독립운동가가 되었다. 광복 후에는 북한의 부수상, 국회의장, 김일성대학 총장까지 지냈다.

김두봉은 상하이로 망명할 때 말모이 작업 원고 일부를 가지고 갔기에, 조선어학회 사전 편찬 일을 하던 이윤재가 그 원고를 받을 겸 김두봉을 만났던 것이다.

허웅, 최현배의 뜻을 이어 펼치다

외솔 최현배의 《우리말 존중의 근본 뜻》(정음사, 1951)과 눈뫼 허웅의 《한글과 민족문화》(세종대왕기념사업회, 1974)는 한글 운동, 국어 운동의 고전 대중서이다. 《우리말 존중의 근본 뜻》이 학생들에게 한글 사랑의 근본 뜻과 힘을 불어넣어 주었다면, 《한글과 민족문화》는 한글에 대한 장대한 역사의식을 심어 주었다. 주시경, 최현배, 허웅의 공통점은 모든 학문과 한글 운동 또는 국어 운동을 함께 연구하고 실천했다는 점이다. 또한 우리말글 역사와 현대 문법을 함께 연구한 공통점도 있다.

허웅의 4대 명저는 《옛말본》(1970), 《언어학》(1981), 《국어학》(1983), 《국어음운학》(1985)이다. 현대 언어학적 방법론을 토대로 옛말과 현대 국어의 종합적 연구의 토대를 마련한 저서들이다. 주시경과 최현배의 업적에 이어 허웅은 우리말글 연구 방법론과 학문적 체계를 세운 셈이다.

허웅은 이와 같은 학술서 외에도 훈민정음 관점의 대중적인 책도 집필했다. 《한글과 민족문화》, 《우리말과 글의 내일을 위하여》(1974), 《우리말과 글에 쏟아진 사랑》(1979), 《세종의 언어 정책과 국어 순화 정신》(1980), 《이삭을 줍는 마음으로》(1981) 등이다. 동시에 한글학회를 통해 최현배의 뜻을 이어 한글 전용 시대를 앞당기기 위한 운동을 전개했다. 김해한글박물관에서 현대 국어학과 국어 운동의 거인으로 활동한 허웅의 정신을 널리 알리고자 전시 공간을 마련한 것은 당연한 일이다.

김해한글박물관의 첫 기획 전시
용비어천가전의 중요한 두 가지 의미

김해한글박물관은 첫 기획 전시로 최초의 한글 작품인 《용비어천가》를 전시했다. 《용비어천가》 풀이와 주석에 남다른 업적을 남긴 이가 허웅이었으니, 첫 기획 전시와 상설 전시가 조화를 잘 이룬 셈이다. 국립한글박물관과 업무 협약을 맺고 국립한글박물관 소장 원본을 위탁받아 개최하는 전시였지만, 《용비어천가》의 가치와 역사적 맥락을 아기자기하게 꾸며 관람객들의 눈길을 사로잡았

❯ 평소 연구와 집필에 몰두하시던 허웅 선생의 모습. 현대 국어학과 국어 운동의 거인으로 활동한 허웅의 정신을 널리 알리기 위해 전시 공간을 마련한 것은 당연한 일이다.

다. 먼저《용비어천가》에서 한글이 많이 쓰인 시가를 중심으로 아크릴 불빛 판을 만들어《용비어천가》의 위엄을 드러냈다. 필자가 갔을 때 때마침 유치원 아이들이 전시를 관람하며 종알종알 얘기를 나누는 모습도 볼 수 있었다. 특히《용비어천가》에서 뽑아낸 토박이말들을 멋지게 꾸며 놓은 곳에서 모두 신기해했다.

　해례본이 나온 이듬해인 1447년에 완성된《용비어천가》는 해례본의 한글 표기법을 적용한 첫 작품이다. 책 내용의 핵심인 125수의 시는 한글과 한자를 섞은 혼용체이지만 다음 4수만큼은 순우리말로 이루어져 있다.

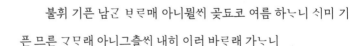

　불휘 기픈 남ᄀᆞᆫ ᄇᆞᄅᆞ매 아니뮐씨 곶됴코 여름 하ᄂᆞ니 시미 기픈 므른 ᄀᆞ므래 아니그츨씨 내히 이러 바ᄅᆞ래 가ᄂᆞ니

ㅇ ㅅ ㅁ

뿌리가 깊은 나무는 아무리 센 바람에도 움직이지 아니하므로, 꽃이 좋고 열매도 많으니. 샘이 깊은 물은 가물음에도 끊이지 않고 솟아나므로, 내가 되어서 바다에 이르니.

_《용비어천가》 제2장

뒤혜는 모딘 도즉 알픠는 어드본 길헤 업던 번게를 하늘히 불기시니 뒤혜는 모딘 중싱 알픠는 기픈 모새 열본 어르믈 하늘히 구티시니

뒤에는 모진 도둑(이요), 앞에는 어두운 길에(길인데), 없던 번개를 하늘이 밝히시니. 뒤에는 모진 짐승(이요), 앞에는 깊은 못에(못인데) 엷은 얼음을 하늘이 굳히시니.

_《용비어천가》 제30장

가뢌 ᄀ새 자거늘 밀므리 사ᅀᅳ리로딕 나거ᅀᅡ ᄌᆞ모니이다, 셤 안해 자싫제 한비 사ᅀᅳ리로딕 뷔어ᅀᅡ 자ᄆ니이다

(백안이) 강가에 자거늘 밀물이 사흘이로되(물이 들지 않더니), (백안이) 나가고 난 뒤에야 비로소 잠긴 것입니다. (이 태조의 군사가) 섬 안에 자실 때 큰 비가 사흘이로되(섬에 물이 들지 않더니), (섬이) 비고 난 뒤에야 비로소 (섬이) 잠긴 것입니다.

_《용비어천가》 제67장

가룜 ㄹ 아니 말이샤 밀므를 마ᄀ시니 하늘히 부러 ᄂ믈 뵈시
니 한비룔아니그치샤 날므를 외오시니 하늘히 부러 우릴 뵈시니

강가에 자는 것을 (하늘이) 말리지 아니하시어 밀물을 막으시
니 하늘이 부러 남을(에게) 보이시니. 큰 비를 (하늘) 그치지 아니
하시어 나는 물을 에워가게 하시니, 하늘이 부러 우리를(에게) 보이
시니.

_《용비어천가》 제68장

여기에는 대단히 중요한 두 가지 의미가 있다. 첫째, 훈민정음
이 아니었으면 적지 못했을, 제대로 적을 수 없었던 말들이 마치 소

❯ 아이들이 《용비어천가》 전시를 관
람하며 종알종알 얘기를 나누는 모
습도 볼 수 있었다.

○ ∧ ▢

리 그림을 그리듯 실체가 보이게 만들었다는 점이다. 사실 한자어는 훈민정음이 아니더라도 '智惠지혜'와 같이 적을 수 있다. 그러나 토박이말은 그대로 적기가 불가능하다. 둘째, 훈민정음을 한자음 발음 기호로 만들었다고 주장하는 이들의 얘기가 얼마나 허무맹랑한지를 보여 준다.

《훈민정음》 해례본 서문에서 세종 스스로 한자를 모르는 백성들을 위해 한글을 만들었고, 궁극적으로 온 백성이 편안한 문자 생활을 하라고 만들었다고 밝혔다. 더욱이 해례본에서는 한글 표기 낱말을 124개나 들고 있는데 모두 토박이말이다. 만일 한자음 발음 기호가 주목적이었다면, 반만이라도 15세기 양반들만이 쓸 수 있었던 한자말로 예를 들었어야 했을 것이다. 김해한글박물관의 《용비어천가》 첫 전시는 바로 이런 문제들에 관한 진실을 보여 준다.

선조국문교서, 선조의 한글 활용

김해한글박물관이 소장하고 있는 최고의 한글 문화재가 있다. 바로 '선조국문교서(보물 제951호)'이다. 임진왜란 중인 1593년에 선조가 일본군에 포로로 붙잡힌 조선군에게 내렸던 한글 문서로 현재 김해한글박물관이 안동 권씨 대종회로부터 위탁받아 전시하고 있다. 교서의 내용을 현대말로 옮기면 다음과 같다.

너희가 왜놈들에게 휘둘려 다닌 것이 너희 본마음이 아닌 것은 과인도 알고 있다. 나오다가 왜놈들에게 붙들리면 죽임을 당할 것이 무섭고 도리어 나라의 의심을 받을 것이 두렵기도 하여 왜놈들 속에 끼어들었던 것이다. 나라가 너희를 죽일까 두려워 여태껏 나오지 않는구나. 이제는 의심하지 말고 서로 권하여 다 나오너라. 나라가 너희에게 따로 벌주지 아니할 것이다. 그뿐만 아니라 왜놈을 데리고 나오거나 나올 때 왜놈들이 하는 일을 자세히 알아내거나 붙잡혀 갇힌 조선인을 많이 구해 내거나 하는 등의 공이 있으면 평민이든 천민이든 가리지 않고 벼슬도 줄 것이다. 너희는 더는 의심하지 말고 빨리 나오너라.

_백성에게 내리는 글

일본군 포로로 잡혔던 조선의 군사들은 얼마나 불안에 떨었을까? 가까스로 도망쳐 나온다 해도 일본군에게 협력했다는 의심을 받을 수 있다. 그래서 선조는 이런 마음을 헤아려 절대로 벌주지 않겠다고 한 것이다. 한술 더 떠 일본군의 정보를 빼 오면 신분과 관계없이 벼슬까지 내리겠다고 했다. 이는 평민이나 천민 신분에서 벗어나 양반이 되는 것을 의미하기에 당시로서는 얼마나 파격적인 상이었는지 짐작할 수 있다. 물론 나라를 위해 목숨 바치는 일에 버금가는 가치 있는 공이었으니, 어떤 큰 상을 내린다 해도 결코 큰 상이라 볼 수 없다.

○ ∧ □

그런데 이 국문교서를 보고 그대로 실천한 이가 있었다. 바로 교서의 원본을 잘 보존해 내려온 안동 권씨, 권탁 장군이었다. 그는 평범한 선비였으나 전쟁 중에 이 편지를 보고 실제 일본으로 끌려갈 뻔했던 100여 명의 포로들을 구하고 싸움 중에 전사했다.

임진왜란 때 무책임하게 피난 간 일이나 김덕룡 같은 의병을 죽게 하고, 이순신 장군 모함에 가담한 사실 때문에 선조를 부도덕하고 무능한 임금으로 보는 시각이 많다. 그렇다고 선조가 잘못하기만 한 것은 아니다. 유교 경전인 《논어》, 《맹자》, 《대학》, 《중용》 사서와 《시경》, 《서경》, 《역경(주역)》 삼경의 언해서를 완성했다. 물론 유희춘, 이황, 이이 등 사서 언해 연구와 집필에 매달렸던 사대부들의 도움이 컸지만, 최종 책임자인 선조의 추진력이 아니었

❷ 선조국문교서는 김해한글박물관이 소
  장하고 있는 최고의 한글 문화재이다.

다면 어려운 일이었다. 선조도 언해서 교정과 토론에 직접 참여해 세종이 사서 번역을 시도한 이래 100년 넘게 끌었던 유교 경전 언해 사업을 마무리했다.

선조의 사서삼경 언해의 완성은 매우 중요한 의미를 지닌다. 비록 일반 행정 문서와 같은 공문서는 아니었지만, 국가에서 발행한 중요한 정책 차원의 책이었기 때문이다. 그것도 최만리 같은 보수 유학자들이 주장한 '성리학은 한문으로만 해야 한다'는 원리주의를 깨고, 훈민정음으로 한문 책을 더 잘 풀어낼 수 있다고 세종과 정인지가 해례본에서 말한 내용을 실제로 해낸 것이었다.

물론 사서 언해에 한글이 쓰였다고 해서 성리학자들이 한글을 홀대하던 근본적 태도를 바꾼 것은 아니다. 다만, 최고의 성리학자였던 이황이나 이이가 한글로 시조를 짓는 등 한글 사랑이 남달랐던 데는 이유가 있다. 이러한 사서 언해를 통해 훈민정음, 즉 한글의 놀라운 힘을 잘 알았기 때문이다.

큰사전 완성의 대들보

_ 전라북도 무주군 정인승기념관

ㅅ ㅇ ㅁ

'말과 글을 잃게 되면 그 나라 그 민족은 영원히 사라지고 만다.' 정인승기념관에 들어서면 이 글귀가 가장 먼저 눈에 들어온다. 영어 교사의 길을 포기하고 우리말 사전과 연구, 우리말 교육의 대들보가 된 정인승의 말이다. 영어 교사였던 정인승을 우리말 사전 만들기와 한글 연구에 끌어들인 이는 바로 최현배였다. 그는 정인승의 열정과 재능을 일찍이 알아봤다.

영화 〈말모이〉에서 묵묵히 사전 편찬을 하다 옥고를 치르는 노학자의 실제 모델이 정인승이라는 말이 있을 정도로 그는 조선어학회 사전 편찬 사업의 대들보였다. 정인승은 1936년부터 사전 마지막 6권이 출판되는 1957년까지 한결같이 사전 편찬실을 지킨 도드라진 인물이었다.

조선어학회는 1933년 한글맞춤법 제정에 이어 1936년에 표준말 모음을 완성했다. 그 뒤 별도 조직이었던 조선어사전 편찬회를 조선어학회에 통합하는 과정에서 정인승을 이극로, 이윤재, 이중화와 함께 전임 집필 위원으로 임명했다. 사전 편찬의 핵심 중책을 맡긴 것이다.

미국인을 울린 정인승 이야기

2005년 8월 18일, 한 소녀가 전북 장수군 정인승기념관을 찾아왔다. 같은 해 4월, 미국 일리노이주 스프링필드 링컨박물관 개관 기념행사로 링컨의 게티즈버그 연설 기념 에세이 대회가 열렸는데, 그 대회 참가자 5,400명 가운데 대상을 받은 한국 교포 이미한(당시 17세, 메릴랜드주 조지타운 데이스쿨 11학년)이었다.

이미한은 정인승 선생의 손자 이종훈의 딸이었다. 그녀는 링컨박물관 개관식에서 증조할아버지 정인승 얘기로 그 행사에 참석했던 부시 대통령을 감동시켜 유명해졌다. "말씀으로만 듣던 할아버지의 생가와 유품들을 직접 둘러보니 가슴이 벅차올라요."

이미한은 KBS에서 생방송으로 진행한 〈광복 60년 경축음악

회-새로운 시작 평화의 노래〉에서 '평화 에세이'를 낭독해 2만여
명의 참석자는 물론 수많은 시청자들의 가슴을 적셨다. 다음은 증
조할아버지인 정인승 이야기가 담긴 이미한의 '새로운 국가, 새로
운 세기, 새로운 자유A New country, A New Century, A New Freedom'라는
미국 낭독 에세이이다.

내가 이해하는 자유란 나의 언어에 대한 이해와 떼려야 뗄 수
없는 불가분의 관계에 있다. 내 증조부께서는 1940년대에 한국 최
초로 한글사전을 만들려 했다는 이유로 한글 말살정책을 취했던
일본당국에 체포되셨다. 증조부께서는 우리의 생각을 표현하고,
그런 생각들을 다른 사람들과 공유할 수 있게 하는 매체인 언어의
중요성을 정확하게 인식하고 계셨다.

그런데 우리를 압박하는 자들에 의해 언어가 말살된다면, 우

리의 생각이 구속을 받고 사상의 자유를 잃게 될 것이라고 믿으셨다. 이러한 신념 아래 증조부께서는 자신의 생각을 자신의 고유 언어로 표현하고자 하는 국민들을 위해 투쟁하셨고, 결국 그러한 투쟁은 사상과 표현의 자유를 위한 싸움이었다.

어른이 되면 누리게 되는 자유와 책임에 대해 준비하면서, 나는 내가 증조부로부터 물려받은 자유의 정의에 대해 다시금 생각해 보게 된다. 나는 이국에서 태어난 첫 세대로서 또한 새 세기가 시작되는 시점의 미국 청소년으로서 이러한 자유의 정의를 고유한 나의 것으로 만들기 위해 노력하고 있다.

나는 휴식시간에 교실 밖 복도에 앉아 친구들과 학교 행정의 문제점 및 동성연애자들이 결혼할 수 있는 권리에 대해서 토론하고, 또 이라크전쟁의 정당성에 대해 의견을 나눈다. 우리는 우리 주변에서 일어나고 있는 일들에 대해 알 권리를 가지며, 우리 주변의 일들을 나름대로 평가하고, 의견을 자유롭게 표현하는 것을 우리의 당연한 권리라고 느끼고 있다.

나는 21세기의 자유란 나이, 인종, 성별, 신분을 막론하고 자기 자신의 생각을 자기 자신의 고유언어로 표현하고, 그 고유언어로 자신의 역사를 만들어 나갈 수 있는 개개인의 권리라고 생각한다.

우리는 이러한 자유를 축복하며, 여전히 그 자유를 위해 끊임없이 투쟁하고 있다. 나는 한국계 미국인이다. 또한 나는 젊고 자유롭다. 내가 항상 조리 있게 말하거나 항상 옳은 말만 하지 않을지는 모른다. 하지만 나는 항상 내 자신의 고유언어로 말하고 있다. 나는

○ ∧ □

말하고, 그리고 듣는다.

My understanding of freedom is inextricably tied up with my understanding of language. My great-grandfather, in 1940s Korea, was arrested for putting together the first Korean dictionary, when the language had been banned by the Japanese government.

My great-grandfather believed that words, the medium by which we formulate and share ideas, can bind and break the very ideas they express if the language is that of an oppressor. He fought for the freedom of his people to express ideas in their own words; in so doing, he defended their very right to have ideas.

As I prepare for all the freedoms and responsibilities of adulthood, I remember these definitions of freedom I have inherited, and strive to make ones of my own not only as the first generation of my family born in a new country, but also as an American youth at the birth of a new century.

Sitting in the hall between classes, my friends and I discuss the faults of our school's administration, the right to same-sex marriage, the justification for the Iraq War. We feel it is our right to know and evaluate our surroundings, to speak and have our ideas responded to.

I believe that freedom in the 21st century means the liberty of individuals, regardless of age, race, gender, or class, to express themselves in their own words, and to use those words to shape history.

We celebrate it, and yet we never stop fighting for it. I am Korean–American, I am young, and I am free. I speak not always articulate, not often right, but always in my own words. I speak, and I listen.

《훈민정음》 해례본 연구와
《한글 소리본》을 짓다

정인승은 1897년 음력 5월 19일, 전라북도 장수군 계북면 양악리 129번지에서 한학자 정상조와 송성녀 사이의 3남 2녀 중 둘째 아들로 태어났다. 그리고 1986년 7월 7일에 운명했다. 정인승은 연희전문학교에서 영어를 전공하고 고창고보학교에서 영어 교사로 근무했지만, 영어보다 우리말을 더 많이 가르쳤다. 연희전문학교에서 김윤경에게 민족 학문 정신을, 정인보에게 '조선의 얼'을 배운 덕이었다. 1933년 맞춤법 통일안이 발표되었을 때는 조선어학회 최현배에게 관련 내용을 자주 문의하기도 했다.

1935년 일제는 사립학교인 고창고보를 공립으로 강제로 바꾸었는데, 이를 반대한 정인승은 요시찰 인물로 찍혀 교사를 그만두었다. 어쩔 수 없이 서울 돈암동에서 산양을 기르는 목장을 하게 되었고, 이 소문을 들은 최현배의 권유로 조선어학회 사전 편찬 작업

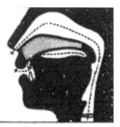

❷ 훈민정음 발음 원리
를 그대로 보여 주는
《한글 소리본》은 한
글 교육에 큰 힘을 실
어 줬다.

혀 끝을 윗잇몸에 붙이어 입길을 막고 콧구
멍 길을 흔 뒤에 목청을 떼고 나오는 소리
로 코 안을 울리어 낸다.

에 참여하게 된 것이다.

　이렇게 1936년부터 조선어학회에서 사전 편찬 일을 맡았고,
한글 맞춤법 통일안 수정과 기초위원으로 활동하다가 1942년에
조선어학회 수난으로 광복 때까지 옥고를 치렀다. 그는 "아무리 왜
놈 세상이 되었다고 하지만 그 밑에서 벼슬할 생각은 말라"라고 했
을 정도로 대쪽 정신으로 우리말과 글을 지켰다.

　정인승은 1940년 계간지 《한글》에 '고본 훈민정음의 연구(《한
글》 82호, 조선어학회)'를 발표할 만큼 훈민정음에 관심이 많았고 전
문 지식이 깊었다. 정인승은 해례본에 근거한 훈민정음 제자의 원
리를 정확히 알았다. 그는 유열과 함께 저술한 《한글 소리본》(정음
사)에 정확한 발음 상형도를 실어 한글 교육의 선구적 역할을 했다.

　교사 출신인 만큼 알기 쉽게 설명을 잘해, 그가 쓴 《한글》의
'물음과 대답' 꼭지는 사람들이 즐겨 보는 기사였다. 이 꼭지는 나

● 한글 지도자 양성 강습회를 마치고 찍은 사진으로 앞줄 왼쪽에서 다섯 번째가 정인승이다.

중에 하나로 모아져 《한글강화》라는 책으로 세상에 나와 우리말에 관한 궁금증을 풀어 주었다. 교사 양성 연수 강의 등에서도 정인승의 강연은 인기가 많았다.

흉내말 연구의 개척자

흉내말은 '꼬끼오, 짹짹, 졸졸' 등의 의성어와 '빙긋빙긋, 실룩실룩, 머뭇머뭇' 등의 의태어로 나뉜다. 흉내말은 한국어의 특수성과 언어 문화를 잘 보여 주는 말이다. 의성어와 의태어는 소리의 아름다운 결을 담고 있을 뿐 아니라, 대상에 대한 감각적 묘사로 감성

○ ∧ □

을 자극한다. 우리말에서 의성어와 의태어는 다른 언어에 비해 매우 발달한 편이다.

깔깔, 덜덜, 벌벌, 술술, 찰랑찰랑, 펄럭펄럭, 팔락팔락, 팔팔, 펄펄, 살살, 꿀꿀, 어슬렁, 살금살금, 터덜터덜, 우물쭈물, 쿨쿨, 부글부글, 부들부들, 졸졸, 줄줄, 잘잘, 찰찰, 얼얼, 절절, 포슬포슬, 바들바들, 하늘하늘, 솔솔, 나풀나풀, 살살, 알록달록, 콜콜, 탈탈, 털털, 툴툴, 쭈글쭈글, 살랑살랑, 꼬불꼬불, 뻘뻘, 으슬으슬, 아슬아슬, 길쭉길쭉, 개굴개굴, 딸꾹딸꾹, 보들보들, 팔딱팔딱, 오돌토돌, 우둘투둘, 날름날름, 미끌미끌, 할짝할짝, 팔짝팔짝, 유들유들, 야들야들, 둥실둥실, 이글이글, 나폴나폴, 왈칵, 오물오물, 어리둥절, 너덜너덜, 올록볼록

이러한 흉내말을 일찍이 주목하고 연구한 사람이 정인승이다. 의성어는 듣는 사람이 알아챈 소리의 느낌을 표현하는 말이고, 의태어는 보는 사람이 감지한 모양의 느낌을 표현하는 말이다. 흉내말에는 다양한 특징이 있는데, 첫 번째는 청각과 시각에 의한 감각효과가 뛰어나다는 것이다.

자끈, 자끈자끈, 지끈, 지끈지끈, 재깍, 재깍재깍, 제꺽, 제꺽제

껵, 딱, 딱딱, 똑, 똑똑, 뚝, 뚝뚝, 째각, 째각째각, 째깍, 째깍째깍, 쨍
강, 쨍강쨍강, 쩨걱, 쩨걱쩨걱, 쩨꺽, 쩨꺽쩨꺽, 아작아작, 아지직,
아지직아지직, 오도독, 오도독오도독, 우두둑, 우두둑우두둑, 우지
직, 우지직우지직, 우지끈, 우지끈뚝딱, 우지끈우지끈, 오드득, 와
드득와드득, 와삭, 와삭와삭, 와싹, 와싹와싹, 와지끈, 와지끈와지
끈, 와지끈뚝딱, 으지직, 으지직으지직, 으썩, 으썩으썩, 으쩍, 으쩍
으쩍, 왜각대각, 왜깍대깍, 픽, 픽픽, 팩, 팩팩, 탁, 탁탁, 톡, 톡톡, 툭,
툭툭

이는 어떤 고체가 부러지거나 끊어질 때 나는 의성어이다. 대
상에 대한 섬세한 묘사를 통해 소리를 그대로 살려 낸 듯한 느낌을
준다.

두 번째 특징은 흉내말이 '수군수군-쑤군쑤군, 졸졸-쫄쫄'처
럼 자음에 따라 바뀌기도 하고, '가뭇가뭇-거뭇거뭇, 꼬불꼬불-꾸
불꾸불'과 같이 양성모음, 음성모음에 따라 바뀌기도 하며, '달가닥,
딸가닥, 탈가락, 달가당' 마냥 '예사소리-된소리-거센소리'에 따라
바뀌기도 한다는 점이다.

❯ 양성모음 계열

예사소리: 달가당, 딸가당, 탈가당

된소리: 달까당, 딸까당, (탈까당)

거센소리: 달카당, (딸카당), 탈카당

○ ∧ ▢

◉ 음성모음 계열

예사소리: 덜거덩, 떨거덩, 털거덩

된소리: 덜꺼덩, 떨꺼덩, (털꺼덩)

거센소리: 덜커덩, (떨커덩), 털커덩

_김홍범·박동근(2001),《한국어 흉내말 사례》

세 번째 특징은 응용성이 뛰어나다는 점이다.

◉ 악기 소리

징: 징 징 징 – 징 징 징 – (바람)

꽹과리: 갠지 갠지 갠지개갱 갠지 갠지 개갱 갱(번개)

장구: 덩 덩 덩따궁따 더덩 덩 덩따궁따(비)

북: 둥 둥 둥 둥 두둥 둥 둥 둥(구름)

가야금: 청 당 당 동 지잉 지잇 닷 동 당 도옹 동띠당 또옹

거문고: 슬기둥 두웅 덩 덩 둥 지잉 청 청

피리: 나니네 나니노 노녀나 니이 나이네

_김원호(1999),《풍물굿 연구》, 학민사

이처럼 흉내말은 음의 길이와 강약뿐 아니라 가락의 느낌까지 탁월하게 전달해 내는 입장단을 보여 준다. 실물이 없어도 자연스럽게 교육이 이루어질 정도의 전달 효과를 지닌다.

❯ 예사소리 갈래

양성모음끼리: 졸랑졸랑, 찰랑잘랑

음성모음끼리: 줄렁줄렁, 절렁절렁

❯ 된소리 갈래

양성모음끼리: 쫄랑쫄랑, 짤랑짤랑

음성모음끼리: 쭐렁쭐렁, 쩔렁쩔렁

❯ 거센소리 갈래

양성모음끼리: 촐랑촐랑, 찰랑찰랑

음성모음끼리: 출렁출렁, 철렁철렁

정인승은 겨레를 사랑하는 학문 정신을 배웠다. 그리고 조선의 얼을 온몸으로 익힌 덕에 식민지 조국의 암담한 현실 속에서도 모국어를 지키는 일에 나설 수 있었다.

그러던 중에 최현배와의 인연으로 조선어학회 사전 편찬의 대들보가 되고 훈민정음 연구와 우리말본 연구 업적까지 이루게 되었다. 말년에는 건국대에서 후학을 양성해 건국대 국문과가 우리말글 사랑과 연구의 큰길을 가는 전통을 세우는 데 주춧돌이 되었다.

'말과 글을 잃게 되면 그 나라 그 민족은 영원히 사라지고 만다.' 정인승 기념관에 들어서면 이 글귀가 가장 먼저 눈에 들어온다.

최초 한글 소설의
주인공 홍길동 생가

_ 전라남도 장성군 아치실마을, 홍길동 테마파크

ㅅ ㅇ ㅁ

　　서자라는 이유만으로 아버지를 아버지라 부를 수 없고, 양반
의 자식이지만 노비의 피가 섞여 양반처럼 살 수 없었던 홍길동을
주인공으로 한 《홍길동전》. 양반 사회의 모순을 이처럼 적나라하
게 비판한 소설이 있을까. 더욱이 이 소설은 양반들이 이류 문자로
취급한 한글로 쓰였으니 그 비판은 더욱 무겁게 다가온다. 양반 사
회의 모순을 적나라하게 비판했지만, 한문으로 쓴 박지원의 《양반
전》보다 더 인기 있는 이유이다.

　　18세기 이후에 한글 소설을 동화 구연하듯 들려주며 돈을 벌

ㅇ ㅅ ㅁ

던 '전기수'라는 직업이 있었는데, 이들이 가장 많이 들려준 소설은 《홍길동전》이 아니었을까 조심스럽게 생각해 본다. 실제 서자들은 길동처럼 말도 못하고 숨죽이고 살았을 텐데, 전기수가 마치 길동인 양 말하니 더욱 공감이 갔을 것이다. 이렇게 재미있고 감동적인 이야기였기에 사람들이 한글에 더 관심을 갖게 되었고, 한글을 깨친 이들이 《홍길동전》 같은 책을 서로 빌려 읽으며 한글이 더 널리 퍼지게 되었을 것이다.

홍길동 생가터가 있는 아치실마을

전남 장성군 황룡면에는 아치실마을이 조성되어 있다. 최초의 한글 소설 《홍길동전》에 나오는 주인공이 1440년(세종 22) 장성군에서 태어난 역사상 실존 인물이었음이 밝혀져 생가를 복원한 것이다. 아치실마을 입구에서 약 200여 미터 올라가면 홍길동 캐릭터를 담은 안내판이 있고, 울창한 대나무 숲과 삼나무, 편백으로 둘러싸인 생가터가 있다.

생가터에서 더 안쪽으로 들어가면 암탉골(밤골) 입구 개울가에 어린 시절 홍길동이 마셨다는 길동샘도 있다. 1997년에는 생가터 가는 길을 '홍길동로'라 이름했으며, 생가터 발굴 작업 및 철저한 고증을 거쳐 복원했다. 그리고 여기에 양반촌, 양민촌, 승마 훈련장, 민속 무예 광장, 민속 놀이터 등을 조성해 다채로운 관광 마

❯ 홍길동 생가터 발굴 작업과 철저한 고증을 거쳐 복원한 생가 곳곳의 모습이다.

을로 만들어 놓았다.

그러나 아쉬운 점도 있다. 이 마을에서 홍길동은 크게 기리고 있지만, 막상 저자 허균(1569~1618)에 관한 내용은 찾아보기가 힘들다. 허균이 궁금한 사람들은 그와 그의 누이이자 유명 여류 시인인 허난설헌의 문학적 업적을 함께 기리는 '허균·허난설헌 기념관'을 찾아야 한다. 이 기념관은 강릉시 초당동에 두 사람의 생가터를 중심으로 조성된 허난설헌 유적공원 근처에 있다. 공원은 4,223제

○ ∧ □

곱미터(약 1,277평)이며 기념관은 전체 면적 186제곱미터(약 56평) 규모의 지상 1층 목조 한옥 형태로 이루어져 있다. 매년 4월과 10월에 각각 '난설헌 문화제'와 '교산 허균 문화제'가 열린다.

양반인 허균은 왜 이런 소설을 썼을까?

허균은 명문 사대부 출신 양반이었는데도 왜 이런 소설을 썼을까? 허균이 《홍길동전》을 저술하게 된 동기를 살펴보려면 그의 가족과 스승에 대해 먼저 알아야 한다. 그의 맏형인 허성은 예조판서, 이조판서 등을 지내고 일본과 중국에 명성을 떨친 외교관이었다. 그러나 둘째 형 허봉은 허균과 비슷한 점이 많아 38세의 나이에 당쟁 물결에 휩쓸려 요절했는데, 허균에게 많은 영향을 끼쳤다.

허균의 스승인 이달 또한 허봉과 마찬가지로 허균에게 큰 영향을 주었다. 이달은 문학에 능한 사람이었지만 어머니가 천민인 서자였다. 감성이 풍부했던 제자 허균은 사회생활을 하고 싶어도 할 수 없는 스승의 처지에 가슴 아파하며 당대 사회의 폐쇄적 모순과 사상에 눈을 뜨게 되었다. 그 밖에도 처삼촌이자 서얼이었던 심우영, 탁월한 문체를 소유했지만 불우하게 살아간 건필, 이안눌, 이재형 등과 교류하면서 허균은 민중 혁명이라는 사상을 갖게 되었다.

허균은 항상 약자의 편에 서서 그들을 옹호하고 불우한 사람들과 벗하며 그들을 위해 투쟁하려 노력했지만, 결국은 봉건제적 질서로 좌절을 겪어야 했다. 이런 배경 때문에 허균은 사회의 모순을 질타한 《홍길동전》을 지배층이 싫어하지만 민중들과 통할 수 있는 한글로 쓰게 된 것이다.

이렇듯 민중들이 주로 쓰던 토박이말과 쉬운 한글로 양반들의 잘못된 세상을 꼬집으니 《홍길동전》은 더욱 널리 읽히게 되었다. 정조 때 박지원이 지은 《양반전》도 양반 사회를 꼬집은 작품이지만, 이 책은 전부 한문이라 양반들만 읽을 수 있었다.

일부에서는 허균이 쓴 것은 한문 《홍길동전》이라고 주장하기도 한다. 사실 허균이 남긴 한글 작품은 한시에 음을 한글로 쓴 작품 정도였기에 이런 주장에도 일리는 있다. 《홍길동전》 같은 한글 작품을 쓰기 위해 수많은 습작을 했을 것이고, 그 과정에서 다른 한글 작품도 많이 썼을 터이다. 하지만 남아 있는 작품이 한글 표기를

❷ 허균의 《홍길동전》에서
홍길동과 아버지의 모습
을 재현해 놓았다.

한 한시 정도이니 그 점을 의심할 만도 하다. 허균이 대역죄인으로 죽어 기록이 많이 없어진 탓에 그럴 수도 있지만 어찌 되었든 진실을 확인하기는 어려운 실정이다. 그러나 한문으로 썼다 해도 그 내용을 쓴 것은 허균이 맞다. 허균이 꿈꾼 세상은 한글로 마음껏 표현하고 소통하며 나누는 자유로운 세상이었을 것이다.

원래 홍길동은 《조선왕조실록》에도 나오는 실제 도적 이름이었다. 《연산군일기》를 보면 영의정 등이 어전회의에서 다음과 같이 말하는 구절이 나온다.

듣건대, 강도 홍길동洪吉同을 잡았다 하니 기쁨을 견딜 수 없었다. 백성을 위해 해독을 제거하는 일이 이보다 큰 것이 없으니, 청컨대 이 시기에 그 무리를 다 잡도록 하소서.

_《연산군일기》 1500년(연산군 6) 10월 22일

그리고 의금부의 수사 책임자인 한치형이 임금에게 고하는 다음의 기록도 나온다.

강도 홍길동이 갓 꼭대기에 옥을 달고, 붉을 띠를 매고, 높은 벼슬아치임을 내세워 대낮에 떼를 지어 무기를 가지고 관청에 드나들면서 거리낌 없는 행동을 자행했는데, 농촌의 유지나 책임자들, 지방 유지들이 어찌 이를 몰랐겠는가. 그런데 체포해 고발하지 않았으니 징계하지 않을 수 없었다. 이들을 모두 변방으로 옮기는 것이 어떠하리까.

_《연산군일기》 1500년(연산군 6) 10월 29일

이런 기록으로 볼 때 홍길동은 아치실(오늘날 전남 장성군 황룡면 아곡1리 아치실) 출신의 실존 인물이었으며, 정권이 신경을 쓰는 큰 도적이자 시골 사람들이 신고하지 않을 정도로 지지를 얻은 의적이었던 것으로 추정된다. 허균은 아마 이런 기록에 살을 붙여 《홍길동전》을 완성했을 것이다. 소설을 통해 길동이 사람들의 가슴속에 생생하게 되살아난 것이다. 광해군 때는 임진왜란 뒤라 민중들의 삶이 참혹했고, 양반들의 수탈이 심해 산속으로 들어가 화전민이 되거나 떠돌다가 도적이 되는 경우가 많았다. 당시 농민의 절반 이상이 이렇게 경작지를 버리고 떠돌 정도였으니, 백성들이 얼마나 피폐하게 살았는지 알 수 있다.

홍길동은 살아 있다

허균은 1,500여 편의 시를 비롯해 많은 작품을 남겼지만, 그 많은 작품 가운데서도 양반들이 꺼리는 소설 형식, 그것도 한글로 남겼다는 것 자체가 혁명적이다. 허균은 "글은 뜻이 통하면 된다"

○ ∧ □

라고 생각했다. 그래서 민중들이 모르는 한자를 버리고 누구나 쉽게 알 수 있는 한글을 선택한 것이다.

《홍길동전》의 배경은 세종 시대이다. 아마도 소통을 중요하게 여겨 한글을 창제한 세종 때를 배경으로 삼아 서자들이 아버지를 '아버지'라고 부를 수조차 없는, 소통 부재의 현실을 꼬집고 싶어서 그렇게 설정했을 것이다.

한글은 지배층이 만든 글자였지만 양반들은 한글을 내내 깔보았다. 한글은 저절로 민중의 글자로 자리 잡게 되었고, 한글로 쓰인 《홍길동전》은 최고의 작품으로 영원히 우리 가슴에 살아 있게 되었다. 허균은 민중 혁명을 이루지 못하고 죽었지만, 시대를 뛰어넘는 더 큰 혁명을 이룩한 셈이다. 그래서 잘못된 세상을 바꾸고 싶어 하는 이들은 끊임없이 외치고 있었다. "홍길동은 살아 있다."

한글을 나랏글로 삼아야 한다고 주장한
최초의 양반 한글 문학가

_ 경상남도 남해읍 김만중 남해유배문학관

조선시대 양반들은 모두가 문학가였다. 특히 시인이었다. 시를 짓지 않으면 양반 축에 끼지 못했다고 해도 과언이 아니다. 그래서 두보의 한시를 한글로 풀어낸 《두시언해》와 한자 발음에 관한 《운서》는 양반들에게 인기가 많았다. 그런데 문제는 중국식 한시 문학만이 그들 문학의 전부였다는 점이다. 이런 실정 속에서 한글을 나랏글로 삼아야 하고, 한글로 쓴 문학만이 진정한 문학이라고 설파한 이가 있었으니 바로 김만중이다. 그의 고단한 삶의 흔적을 품고 있는 남해유배문학관으로 가 보자.

ㅇ ㅅ ㅁ

지금은 서울에서 남해까지 고속버스로 몇 시간이면 갈 수 있지만, 옛날에는 최소 한 달은 걸리는 천 리나 되는 지역이었다. 그러다 보니 죄를 지은 사람들이 그곳으로 귀양을 많이 가곤 했다.

　시외버스터미널에서 가까운 곳인 남해읍 남해대로 2745번지에 이르면 귀양 가는 수레와 서포 김만중 동상이 사람들을 맞이한다. 바로 남해유배문학관이다. '유배'는 귀양의 또 다른 이름이다.

　여기서 3킬로미터를 더 달리면 남해군 상주면 양아리 벽련마을에 이르고, 여기서 마주 보이는 작은 섬이 '노도櫓島'이다. 바로 서

❶ 김만중의 유배 당시 장면을 재현해 놓은 모습이다. 김만중은 평안도 선천, 남해 노도 등에 유배되었다.

❷ 남해유배문학관 앞의 김만중 동상이 관람객들을 맞이한다.

포 김만중이 귀양 와 있던 곳이다. 옛날에 배를 저을 때 사용하는 노를 많이 만든 곳이라 하여 '노도'라 부른다고 한다. 벽련포구에서 바라보면 마치 '삿갓'처럼 떠 있어 '삿갓섬'이라 부르기도 한다. 노도는 벽련마을에서 2킬로미터쯤 떨어져 있어 배로 10분이면 도착할 수 있다. 배는 하루에 두 번 뜨는데, 풍랑이 심할 때는 건널 수 없다.

한글을 나랏글로 주장한 최초의 문학가

김만중은 1637년(인조 15)에 태어나 1692년(숙종 18) 56세의 나이로 일생을 마친 양반 정치인이자 대문학자였다. 광산 김씨로 호는 서포西浦였다. 한글 소설 《구운몽》, 《사씨남정기》로 유명하다. 그의 증조부는 성리학의 대가인 김장생이었고, 아버지는 충렬공 김익겸이었다. 형 김만기는 광성부원군이 되었고, 김만중은 숙종의 첫 번째 왕비인 인경황후의 숙부가 되었다.

김만중이 태어나기 한 달 전에 병자호란이 일어났다. 이때 김만중의 아버지는 강화도에서 근무하는 관리였는데, 청나라의 침략군을 막지 못한 것에 대한 울분으로 순절했다. 결국 김만중은 아버지가 없는 유복자로 태어났다.

김만중은 어머니의 노력 덕에 14세 때인 1650년(효종 1)에 진사초시에 합격하고, 16세 때는 진사에 일등으로 합격했다. 29세 때인 1665년(현종 6)에는 문과에 급제해 관료로서 발을 내딛었다.

○ ∧ □

1685년(숙종 11)에는 홍문관 대제학까지 이르렀지만, 이듬해 지경연사知經筵事로 있으면서 김수항이 아들 창협의 잘못까지 도맡아 처벌되는 것이 부당하다고 상소했다가 평안도 선천宣川에 유배되었다. 이때 어머니를 위로하고자 《구운몽》을 지었다.

1686년(숙종 12)에는 다시 대제학이 되었으나 이듬해에 장숙의 일가를 둘러싼 사건에 연루되어 다시 선천으로 유배되었다. 이때 《서포만필》을 쓴 것으로 추측된다. 1688년(숙종 14) 11월에 풀려났으나 다음 해에 박진규, 이윤수 등의 탄핵으로 다시 남해 노도에 유배되었다. 이때 《사씨남정기》를 지었다. 그 후 1692년(숙종 18)에 숨을 거두니 향년 56세였다.

김만중을 키운 8할은 어머니와 한글 소설

김만중의 어머니는 김만중이 어렸을 때 한글 소설을 자주 읽어 주었다. 어린 김만중은 울다가도 소설만 읽어 주면 울음을 뚝 그쳤다고 한다. 그래서인지 김만중은 보통 양반들과는 달리 한글을 좋아했고 한글로 많은 작품을 썼다. 김만중은 〈정경부인 윤씨 행장〉에서 어머니가 얼마나 책을 좋아했는지 밝혀 놓았다.

어머니가 책을 좋아하므로 옛날 기이한 책들을 모으고 또 패

설 작품들까지 얻어 와서 밤낮 틈만 나면 들려주시니 듣는 사람들이 모두 기뻐했다.

《서포만필》에서는 아예 한글을 한자보다 더 중요한 나랏글(국자)로 삼아야 한다고 주장하기도 했다. 우리말글을 아끼는 이유를 《서포만필》에서 이렇게 썼다.

우리말이 아닌 다른 나라의 말로 시문을 지었다면 비록 제아무리 뛰어나고 유식한 자의 시부詩賦라 해도, 나무하는 아이와 물 긷는 아낙네樵童汲婦의 흥얼거림만 못하다.

우리말글 시가를 극찬한 것이다. 지금이야 당연한 얘기지만 양반 대부분이 한문에 푹 빠져 살던 당시로는 혁명적인 생각이었다. 그래서 우리말과 글로 쓰인 정철의 《관동별곡》, 《사미인곡》, 《속미인곡》을 이렇게 평했다. "조화의 미묘함이 저절로 드러나 소위 비속함이 전혀 없다."

김만중은 올곧은 말을 잘하던 신하로 세 번에 걸쳐 유배 생활을 했다. 강원도 금성과 평안도 선천에 이어 노도가 마지막 유배지였다. 섬에는 서포가 직접 팠다고 전해지는 우물과 그가 죽은 후 잠시 시신을 묻었다는 허묘가 남아 있다. 서포 유허지에는 '서포김만중선생초옥터'라는 작은 표석만 초라하게 놓여 있어 그의 힘들었

○ ∧ □

던 마지막 여정을 보여 주고 있다.

김만중은 직언을 잘하기도 했지만 심한 당파 싸움에 휘말렸기 때문에 노도로 유배를 왔다. 당시 숙종은 두 번째 왕비인 인현왕후를 폐비시키고 희빈 장씨를 세우려 했는데, 이에 반대하다가 노도로 유배되었다.

그가 노도에서 유배 생활을 한 지 10개월이 채 안 됐을 때, 어머니 윤씨 부인의 사망 소식을 듣고 〈정경부인 윤씨 행장〉을 썼다고 한다. 김만중이 남해로 유배 가면서 그 자손마저 제주도와 거제도로 유배 가게 되었다. 어머니 윤씨 부인은 큰 시름 속에 지내다가 그해 겨울 세상을 떠나고 말았다. 효성이 남달랐던 김만중이지만 유배지에서 장례마저 못 치르고 통곡으로 지새며 〈정경부인 윤씨 행장〉을 지은 것이다.

김만중은 어머니를 기쁘게 하기 위해 동물 춤을 출 정도로 효심이 지극했다. 《숙종실록》에 문장에 능하고 어머니를 극진히 잘 섬겨 칭송이 자자하다고 기록되었을 정도였다.

김만중의 형 김만기의 딸이 숙종의 첫 부인인 인경왕후였다. 즉, 김만기는 임금의 장인(부원군)이었다. 당시는 당쟁이 치열해 서인과 남인이 극심히 대립하고 있었다. 인경왕후가 죽자 인현왕후(민비)가 계비로 들어왔다. 그러나 인현왕후는 아들을 못 낳고, 희빈 장씨가 아들 '균'을 낳았는데 나중에 경종이 되었다.

이런 상황에서 김만중이 숙종에게 "장씨가 천첩 소생이라는 말도 있으니, 너무 가까이하지 말고 수양하라"라고 아뢰자 화가 난 숙종은 김만중의 관직을 빼앗고 귀양을 보낸 것이다. 이후 인현왕후가 폐비되고 균이 왕세자로 책봉되었으며 희빈 장씨가 왕비가 되었다.

김만중은 문학을 통해 간접적으로 자신의 뜻을 펼치기도 했다. 《사씨남정기》는 바로 희빈 장씨와 관련해 숙종 임금을 깨닫게 하려는 의도도 있었다. 이 작품의 제목은 '사씨가 남쪽으로 쫓겨 가다'라는 뜻으로, 결국 진실이 밝혀져 명예 회복을 하게 된다는 의미가 담겨 있다. 당시 실제 있었던 역사적 사건과 《사씨남정기》 이야기를 그림으로 대응시켜 보면 다음과 같다.

❯ 실제 역사적 사건

❯ 《사씨남정기》 이야기

상언문, 남성 중심의 문자 권력에
균열을 낸 사건

《사씨남정기》는 양반 사대부 가문인 유한림의 가정과 서로 다른 양반 사대부들의 생활을 배경으로 벌어지는 이야기이다. 이 작품에서 사정옥과 교채란 사이의 갈등을 통해 첩 제도가 얼마나 잘못된 것인지 비판하고 있다. 더욱이 양반 가정의 추악한 모습까지 드러내고 있다.

김만중이 한글을 좋아해서인지 그의 딸도 한글 관련 주요 기록의 주인공이 되었다. 1727년(영조 3) 김만중의 딸이자 신임옥사 때 화를 당한 이이명李頤命(1658~1722)의 처인 김씨 부인은 손자와 시동생의 목숨을 살리고자 영조에게 한글 탄원서를 올렸다. 이때는 한글이 널리 퍼지기는 했지만 나라에 바치는 문서에는 쓰지 않

◆ 김씨 부인 한글 탄원서 앞부분이다. 정치적 격변기에 집안의 위기를 맞은 사대부 여성의 절박한 심정이 생생하게 느껴진다.

★ 국립한글박물관 소장

는 게 원칙이었다. 그런데도 한글로 탄원서를 올리고, 관련 기록이 실록에 남았다는 것은 대단히 특이한 일이다.

탄원서의 크기는 가로 81.5센티미터, 세로 160센티미터에 이를 정도로 컸다. 정자로 정성 들여 쓴 글에서 정치적 격변기에 집안의 위기를 맞은 사대부 여성의 절박한 심정이 생생하게 느껴진다. 여기서는 실제 탄원서의 남아 있는 부분을 인용해 본다. 현대문 번역으로 앞뒤 구절만 읽어도 애절하고 간절한 마음을 가늠할 수 있다.

충청도 부여현에 사는 고故 영부사領府事 신臣 이이명의 처 김씨

이 몸이 천지간에 용납하지 못할 죄를 짓고 천고에 없는 이 은혜를 입어 모진 목숨이 일괴육一塊肉(손자 봉상)을 위하여 스러지지 못하고 이제까지 세상에 머물러 밤낮 성은만 축수하였는데 천만몽매 밖에 손자 봉상을 사헌부에서 탄핵하여 극한 법률로 처단하겠다 하고, 또 시동생 익명을 봉상이 망명할 때에 알았다 하고 중죄를 주겠다 하는 기별을 듣고 이 몸이 바로 죽어 먼저 모르려 하다가 다시 생각하니 이 하늘과 땅같이 끝없는 원혹冤酷을 어진 하늘 아래 두려워하여 머뭇거려 죄가 없음을 밝혀 말하지 못하고 그만하여 끝나버리면 당초 특명特命으로 살리신 성은을 저버릴 뿐 아니라, 또 이 몸이 혼자 입을 죄를 아무 잘못 없는 익명이 뜻밖에 받게 되었사오니, 실로 지하에 돌아가 지아비를 뵐 낯이 없어 지금 충청도 부여 땅으

로부터 촌촌전진하여 감히 성상 아래 한 번 슬프게 부르짖고 죽기를 청하니, 오직 성상의 밝은 지혜로 불쌍히 여겨 살펴주십시오.

……(중략)……

이는 이 몸이 직접 주장한 일이니 실로 시동생 익명은 간섭한 바가 조금도 없습니다. 이는 시절 사람들이 이 몸을 죽여서는 관계하지 아니하니 익명을 마저 죽여 노소에 상관없이 일족을 멸망시키려 하고, 기어이 익명에게로 부당하게 강제하여 몰아 보내니 이 아니 지극히 원통하지 않겠습니까. 이 몸이 만 번 죽기를 사양하지 아니하고 부월斧鉞에 엎드리기를 청하니, 바라오니 천지부모天地父母(성상)께서는 특별히 이 원혹한 정사를 살피십시오. 마땅히 이 몸만 베시고 봉상의 목숨은 살리시어 지아비의 혈통을 잇고, 시동생 익명은 뜻밖에 재앙을 당하는 화를 면하게 해 주십시오.

_옹정 오년 시월(1727년 10월)

이러한 상소문이 접수된 것만으로도 남성 중심의 문자 권력 사이에 균열을 낸 사건이라 할 수 있다. 어머니(파평 윤씨)와 아들(김만중)과 딸(이이명의 처 김씨)로 이어지는 한글 사용의 역사는 주류 문자 한자 속에서 한글이 어떻게 쓰이고 살아남아 발전해 갔는지를 잘 보여 준다.

한글가온길
즈려밟기

한글가온길은 처음 출발하는 장소에 따라 크게 6구역으로 나눌 수 있다. 친구들과 지인들과 함께 답사를 한다면 선택하는 구역별로 만나는 장소를 달리하는 게 좋다. 각 구역별로 어떤 한글의 길이 펼쳐지는지 소개하겠다.

❯ 1구역: 한글학회

한글 10마당 → 한글학회 → 한글 벽돌

원각사터 ← 한글가온길 새김돌 ← 나는 한글이다

◉ 2구역: 주시경마당

광화문연가

숨, 쉼

윤동주 서시

용비어천가

한흰샘

바로 당신

주시경 가로등

삶의 나무

한글 소리꽃

단말모눈

주시경마당

❯ 3구역: 세종 예술의 정원

사역원터   평화와 화해의 나무   음양오행 한글

안녕하세요   글꽃이 피었습니다   서울의 미소

나무처럼 자라는 한글   'ㅈ'이라 불리는 사나이

⊙ 4구역: 세종공원

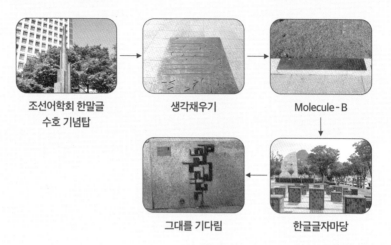

조선어학회 한말글
수호 기념탑

생각채우기

Molecule-B

그대를 기다림

한글글자마당

⊙ 5구역: 세종대왕 동상

세종 이야기

세종대왕 동상

앙부일구

혼천의

측우기

❯ 6구역: 세종 생가터

세종 생가터

이 구역을 기준으로 답사 경로를 안내하도록 하겠다. 같은 길도 어떻게 가는가에 따라 다르게 보일 수 있다. 이왕이면 여러 코스로 한글가온길을 둘러보면 좋겠다.

❯ 첫 번째 둘러볼 곳

경복궁역 5번 출구 고궁박물관 옆 빈터에서 만나는 경우이다. 이때는 '6구역→2구역→3구역→1구역→4구역→5구역' 순서로 답사를 하면 좋다. 각 구역은 앞에서 살펴본 순서를 따른다면 무리 없이 답사할 수 있다.

❯ 두 번째 둘러볼 곳

경복궁역 7번 출구 옆 한글가온길 새김돌 앞 서울지방경찰청에서 만나는 경우이다. 이때는 '2구역→1구역→3구역→4구역→5구역' 순서로 답사하기를 권한다. 그런데 이 경로에서는 2구역과 3구역 내의 답사 순서를 바꾸어야 한다. 2구역은 '단말모눈→주시경마

○ ∧ □

당→주시경 가로등→바로 당신→용비어천가→한흰샘→윤동주 서
시→숨, 쉼→광화문연가→삶의 나무→한글 소리꽃' 순서로 보면 좋
다. 3구역은 "ㅈ'이라 불리는 사나이→나무처럼 자라는 한글→안녕
하세요→글꽃이 피었습니다→음양오행 한글→서울의 미소→사역
원터→평화와 화해의 나무' 순서로 보면 답사하기가 한결 편할 것
이다.

❷ 세 번째 둘러볼 곳

광화문역 9번 출구 세종대왕 동상 앞에서 만나는 경우이다.
이때는 '4구역→2구역→1구역→3구역→5구역' 순서로 답사하면 좋
다. 세 번째 경로도 각 구역은 앞에서 살펴본 순서로 답사하면 된다.

❷ 네 번째 둘러볼 곳

한글학회 옆 한글새김돌 앞(구세군회관 앞)에서 만나는 경우
이다. 이때는 '1구역→2구역→3구역→4구역→5구역' 순서로 답사
하기를 권한다. 네 번째 경로는 3구역과 4구역의 답사 순서를 조
금 바꿔야 한다. 우선 3구역은 "ㅈ'이라 불리는 사나이→나무처럼
자라는 한글→안녕하세요→글꽃이 피었습니다→음양오행 한글→
서울의 미소→사역원터→평화와 화해의 나무' 순서로 답사해야 한
다. 4구역은 '조선어학회 한말글 수호 기념탑→생각채우기→Mole-
cule-B→한글글자마당→그대를 기다림' 순서로 답사하면 네 번째
경로를 한 번에 답사할 수 있다.

참고문헌

- 간송미술문화재단 편(2015),《訓民正音》(복간본), 교보문고(김슬옹 해제)

- 고영근(1998),《한국어문운동과 근대화》, 탑출판사

- 고영근(2003), 〈'한글'의 작명부는 누구일까: 이종일·최남선 소작설과 관련하여〉,《새국어생활》13권 1호(봄), 국립국어연구원

- 권오향·김기섭·김슬옹·임종화(2020),《세종은 과연 성군인가, 이영훈 우문에 대한 현답》, 보고사

- 권재일(2021), 〈애산 이인 선생과 한글학회〉,《애산학보》48호, 애산학회

- 김동진(2019),《헐버트의 꿈 조선은 피어나리!》, 참좋은친구

- 김석득(2002),《외솔 최현배 학문과 사상》, 연세대학교출판부

- 김슬옹 글/강수현 그림(2015),《누구나 알아야 할 훈민정음, 한글이야기 28》, 글누림

- 김슬옹 글/지문 그림(2017),《역사가 숨어 있는 한글가온길 한 바퀴》, 해와나무

- 김슬옹(2015),《훈민정음 해례본: 한글의 탄생과 역사》(간송본 복간본 해제), 교보문고

- 김슬옹(2015), 〈《훈민정음》해례본 간송본의 역사와 평가〉,《한말연구》37호, 한말연구학회

- 김슬옹(2017),《한글혁명》, 살림터

○ ∧ □

- 김슬옹(2017/2020: 증보4쇄), 《훈민정음 해례본 입체강독본》(개정증보판), 박이정
- 김슬옹(2018), 〈주시경·김두봉·최현배를 기리는 국어교육-한글가온길과 관련 유적지 답사 체험을 통한 교육〉, 《나라사랑》 127집, 외솔회, 255-310쪽
- 김슬옹(2019), 《한글교양》, 아카넷
- 김슬옹(2020), 〈《훈민정음》 해례본을 만들고 지켜온 사람들〉, 한국국학진흥원 기록유산센터 엮음(2020), 《인물로 보는 한국의 세계기록유산》, 경상북도·한국국학진흥원
- 김슬옹(2021), 〈숫자로 보는 《훈민정음》 해례본의 의미와 가치 확산 방안〉, 《주제로 보는 한국의 세계기록유산》, 경상북도·한국국학진흥원
- 김슬옹(2022). 헐버트(Hulbert), 〈"The Korean Language(1889)"의 한국어사·한국어학사적 의미〉, 《한글》 83권 3호, 한글학회, 929-962쪽
- 김주원(2005), 〈훈민정음 해례본의 뒷면 글 내용과 그에 관련된 몇 문제〉, 《국어학》 45, 국어학회
- 김주원(2013), 《훈민정음-사진과 기록으로 읽는 한글의 역사》, 민음사
- 리의도(2019), 《한글학회 110년의 역사》, 한글학회
- 리의도(2022), 《우리말글에 쏟은 정성과 노력》, 정인

- 박병천(2022), 《훈민정음 서체연구》, 역락

- 박용규(2005), 《북으로 간 한글운동가: 이극로 평전》, 차송

- 박용규(2012), 《조선어학회 항일투쟁사》, 한글학회

- 박용규(2013), 《이윤재: 우리말·우리역사 보급의 거목》, 역사공간

- 백두현(2015), 《한글문헌학》, 태학사

- 백두현(2021), 《한글 생활사 연구》, 역락

- 서상규 편(2017), 《불교와 한글, 한국어》, 한국문화사

- 세종 외/김슬옹 옮김/문관효 글씨(2017), 《훈민정음》(해례본 번역 손바닥책), 학생신문사

- 이극로 지음/조준희 옮김(1946/2014), 《고투사십년》, 아라(원전: 1946: 을유문화사)

- 이대로(2008), 《우리말글 독립운동의 발자취-배달말 힘 기르기의 어제와 오늘》, 지식산업사

- 이상규(2014), 《한글공동체》, 박문사

- 임석재(2015), 《예로 지은 경복궁》, 인물과사상사

- 정우영·김슬옹·이기범(2021), 《국역 속삼강행실도》, 인쇄향

- 정재환(2013), 《한글의 시대를 열다: 해방 후 한글학회 활동 연구》, 경인문화사

○ ∧ □

_ 정재환(2020),《나라말이 사라진 날》, 생각정원

_ 조재수(2021),《한국어 사전 편찬의 발자취-우리말 거두기와 정리의 역사》, 한글학회

_ 최기호 편(2007),《한국어의 역사와 문화》, 박이정

_ 최용기(2010),〈세종의 문자 정책과 한글 진흥 정책의 미래〉,《국어국문학》 49집, 국어국문학회

_ 최현배(1982),《(고친)한글갈》, 정음문화사

_ 한재준(1996),〈훈민정음에 나타난 한글의 디자인적 특성에 관한 연구〉,《디자인학연구》17호, 한국디자인학회

_ 허재영·김경남·정대현·김슬옹·김정애(2019),《계몽의 수단: 민족어와 국어》, 경진출판

_ 홍윤표(2016),《한글》, 세창출판사

_ 홍현보(2022),《세종과 한글 이야기》, 이회

_ 확장한글표준화위원회(2013),《한글 세계화와 한글확장》(증보판), 미래형 한글문자판 표준포럼

우리말글문화
총서 01

길에서 만나는 한글

초판 1쇄 2023년 2월 28일
초판 2쇄 2023년 11월 27일

지은이 김슬옹
펴낸이 정은영
편집 한미경, 박지혜, 양승순, 이용혁
디자인 마인드윙+[★]규

펴낸곳 마리북스
출판등록 제2019-000292호
주소 (04037) 서울시 마포구 양화로 59 화승리버스텔 503호
전화 02)336-0729, 0730 **팩스** 070)7610-2870
홈페이지 www.maribooks.com
Email mari@maribooks.com
인쇄 (주)신우인쇄

ISBN 979-11-89943-95-0 04700
　　　 979-11-89943-94-3 04080 (set)